N. RAYMONT   F.

LES JUSTES

Fr.

LES JUSTES

BY

ALBERT CAMUS

EDITED BY

EDWARD O. MARSH, M.A.

GEORGE G. HARRAP & CO. LTD

LONDON TORONTO WELLINGTON SYDNEY

Note

The frontispiece photograph of Camus is reproduced by kind permission of Librarie Gallimard.

First published in Great Britain 1960 by GEORGE G. HARRAP & CO. LTD 182 High Holborn, London, W.C.1

First published in the French language by Librairie Gallimard in 1950

English edition with Introduction and Notes © George G. Harrap & Co. Ltd 1960

Composed in Bembo and printed by William Clowes & Sons Limited, London and Beccles Made in Great Britain

CONTENTS

INTRODUCTION

National defeat, and the years of German occupation that followed, gave a shattering blow to the structure of French society, to the artistic world no less than to others. The great issues of Resistance and Collaboration stamped French writers along with the rest of the nation, and France emerged from the war admiring very different literary personalities from those who had been in the ascendant before the débâcle of 1940. The new leaders of the intellectuals were two philosophers, Jean-Paul Sartre and Albert Camus, who had both been prominent members of the Resistance. Close friends at the end of the war, they were destined within a few years to brandish their differences in a public quarrel that is one of the literary *causes célèbres* of the century.[1] Of the two, Sartre was at first the unquestioned leader, but his position was rapidly challenged by Camus, who had taken over the editorship of the Socialist Resistance paper *Combat* and was daily writing powerful editorials.[2] These articles expressed the despair and shame, the feeling of disgust in defeat and of optimism at the prospect of political rejuvenation, the deep sense of guilt and the rising hopes that were mingled in confused and ever-changing proportions in the French heart after the Liberation.

[1] Because of their close association at this time, Camus has frequently been bracketed with Sartre as an Existentialist, but he always repudiated the label. In an interview he once said in answer to a question on this point: "Si on est existentialiste parce qu'on se pose le problème des fins humaines, alors toute littérature de Montaigne à Pascal relève de cette philosophie."

[2] Subsequently published in *Actuelles* (Gallimard, 1950).

Camus himself had high hopes of political France after the war, though this optimism was in strong contrast to the lack of hope expressed in the books he had published to that date. For his earlier works had been solely concerned with demonstrating the utter absurdity of the human condition. The catastrophic events of the war and his own experience only strengthened the case—Camus could see no rational meaning in man's world. There appeared to be no logical cohesion in behaviour, no pattern in events, no values to which social man could subscribe.[1]

This conclusion directed Camus' study away from society on to the individual—and he found that the individual at least

---

[1] Camus was by no means alone, of course, in this view. It was the tendency of the period to drift into despair. The point is well made by P.-H. Simon in *L'Homme en Procès* (p. 11):

"... voici un fait nouveau : depuis environ 1930 et d'une manière plus spectaculaire depuis le début de la seconde guerre mondiale, de nombreux écrivains français, qui sont généralement de jeunes écrivains vont réagir aux pressions des circonstances dans un sens non-humaniste. Jetés dans un univers sans cohérence ni ordre, où triomphent la force brutale et les instincts, où les destins individuels sont faussés et déchirés par de grandes vagues historiques et aveugles irréversibles, ceux-là ne veulent plus, ne peuvent plus croire à un homme idéal, au règne de l'esprit, à la finalité transcendante d'une espèce promise à la justice et au bonheur. A travers l'épaisseur fumeuse d'événements où ils sont souvent engagés en personne et dans leurs corps — guerres, révolutions, déportations, captivités — ils ne voient, ils ne veulent voir que l'homme concret; aves ses faiblesses et ses misères, mais aussi avec son vouloir-vivre, avec ses instincts de jouissance et de puissance. Roulés dans le fatal, ils considèrent le monde et l'histoire comme irrémédiablement absurdes, livrés non à une loi secrète de progrès, encore moins aux desseins d'une providence, mais à la contingence pure et au hasard! Et partout ils heurtent du front le mur du tragique — car qu'est-ce que le tragique sinon le sentiment d'une résistance obscure et insensée contre laquelle se brise la force de liberté et de raison qui est dans l'homme?"

Camus' distinction was the way in which he moved on from the position of despair.

has rights that are, or should be, inviolable. It was the increasing violation of the rights of the individual by society that Camus made a major issue at the end of the war. Most of his subsequent writing was directed at examining this important problem.

LIFE

Albert Camus was born in 1913 at Mondovi, a small town in the province of Constantine in Algeria. His father was a poor agricultural worker, originally a Breton peasant, his mother was of Spanish stock. Early in the 1914–18 war his father was killed and the family moved to Algiers. Camus was educated at the *lycée* and later the university of Algiers. He took a *Licence-ès-lettres* in philosphy and then a *diplôme d'études supérieures* with a thesis on Saint Augustine and Plotinus. He worked for the *agrégation* examination but was suddenly attacked by a very severe illness which was soon diagnosed as pulmonary tuberculosis. Had he been well enough to sit the examination he might have gone into academic life. All his writing bears the mark of a trained philosophic mind.

In those early years during and after his period at the university, Camus worked at a number of jobs—teacher, clerk, salesman—and managed on very little money to make several long journeys into Europe. He finally decided to be a journalist and he joined *L'Alger Républicain* in 1937. There he campaigned for improved conditions for the Arabs. A few months before Hitler's attack on Poland he moved to a journalistic post in Paris.

During the Occupation Camus joined the famous Combat group and later proved to be one of the most tolerant of Resistance leaders; after the Liberation, though he spared none in his expression of condemnation when he considered them guilty, he always advocated generosity rather than vengeance in passing sentence.   His *Lettres à un ami allemand*[1] was a clear statement of his determination not to be ruled in his judgement by a feeling of hate.

In the chaos of French politics shortly after the war, Camus, in association with Sartre, formed a new political party.   He had by this time resigned the editorship of *Combat*.   It was a party of Left independent views, called the *Rassemblement Démocratique Révolutionnaire*.   The venture quickly came to disaster as Sartre moved steadily into the fold of the Communists and Camus, in spite of his deep regard for the Communists who had fought at his side in the days of the Resistance, grew more and more to mistrust them.   It was at this point that the quarrel with Sartre broke out and Camus attacked the policy and attitude of mind of the Communists and their fellow-travellers in *Les Temps Modernes*.   Open letters were exchanged between him and Sartre over the vital issue of support of Russia or the West in the political field.

Camus then retired into purely literary activity, being by now thoroughly disillusioned with political life.   A tragic accident in the afternoon of the 4th of January, 1960, brought instantaneous death to this acknowledged leader of his generation when at the height of his powers.

General Ideas

Camus had been known at the end of the war for a novel (*L'Etranger*, 1942), two plays (*Le Malentendu*, 1944, and *Caligula*, 1945) and an important philosophical work on the 'absurd', called *Le Mythe de Sisyphe* (1943).   The principal feeling in all these works had been that of compassion for unhappy mankind condemned to the utter futility of life in this world.   This deep sense of life's 'absurdity' is found in many other writers of our time but Camus presented a specially appealing view of humanity; though he considered that indif-

[1] Published immediately after the war, in 1945, by Gallimard.

ference was the main feature of the world around him, he recognized that he himself was a part of that world and he was determined to feel, in his own word, 'solidaire' with it.[1]   He concluded that he must make the most of the forbidding but unavoidable experience of living a life of absurdity.

It is this feeling that he at least belonged to this inexplicable world, and that this involvement was the only certainty man had, that drove Camus to reject suicide—the course of action to which the 'absurd' argument must at first lead.   All his early work was directed at this problem: if human life is demonstrably absurd, what is the point of going on living? "Il n'y a qu'un problème philosophique vraiment sérieux," he wrote in the opening sentence of *Le Mythe de Sisyphe*, "c'est le suicide. Juger que la vie vaut ou ne vaut pas la peine d'être vécu, c'est répondre à la question fondamentale de la philosophie."   Camus decided that life was only worth living if one pursued a policy of 'revolt' against the unnecessary man-made absurdities in our society; injustice and tyranny in all their forms were his especial targets and he argued that the best way to 'revolt' is to do one's utmost to establish their opposites—mercy and justice.[2]

"Artists of the past could at least keep silent in the face of

[1] Camus wrote in *Actuelles*, II, p. 78, in an essay entitled *Révolte et Romantisme*: "Je ne suis pas un philosophe, en effet, et je ne peux parler que de ce que j'ai vécu. J'ai vécu le nihilisme, la contradiction, la violence et le vertige de la destruction. Mais, dans le même temps, j'ai salué le pouvoir de créer et l'honneur de vivre. Rien ne m'autorise à juger de haut mon époque dont je suis tout à fait solidaire. Je la juge de l'intérieur, me confondant avec elle. Mais je garde le droit de dire ce que je sais désormais sur moi et sur les autres, à la seule condition que ce ne soit pas pour ajouter à l'insupportable malheur du monde, mais seulement pour désigner dans les murs obscurs contre lesquels nous tâtonnons, les places encore visibles òu les portes peuvent s'ouvrir..."

[2] In his preface to *Vol de Nuit*, by A. de Saint-Exupéry (Gallimard edition, p. 12), André Gide says: "... le bonheur de l'homme n'est pas dans la liberté, mais dans l'acceptation d'un devoir."

tyranny. The tyrannies of today are improved; they no longer admit of silence or neutrality. One has to take a stand, be either for or against. Well, in that case, I am against." (From Camus' own introduction to the English edition of *Le Mythe de Sisyphe*, translated by Justin O'Brien, published by Hamish Hamilton, 1955.) Revolt, in fact—and this he was to say most emphatically in his best philosophic work, *L'Homme révolté* (Gallimard, 1952)—is what gives life its value.

The 'absurd' was an essential stage in Camus' progress towards this theory of 'revolt'; 'absurdity' did not mean that the world was meaningless in itself but that there was no connection between it and man, that man's reason could find no meaning in it. Camus goes on to show that this does not inevitably lead to despair but only to acceptance of the apparent meaninglessness of the universe. Monsieur Simon, in the work already mentioned, sums up Camus' reasoning in this way;

> ... Si j'ai reconnu que mon existence dans le monde n'a pas de sens, pas de but en dehors d'elle, je n'en tire pas la conséquence que je dois la détruire, mais au contraire que je dois m'y attacher de toutes mes forces. Je vis dans l'absence de l'espoir; mais l'absence de l'espoir n'est pas le désespoir : elle est l'acceptation de l'immédiat.

Thus clear-sighted hopelessness finds its *raison d'être* in the accomplishment of the immediate task of living, which is made only more moral and responsible by man's recognition of the finality of death. "L'absurde m'éclaire sur ce point; il n'y a pas de lendemain. Voici désormais la raison de ma liberté profonde.[1]" This freedom must be used for man to create his own values entirely by himself; one of the most

[1] *Le Mythe de Sisyphe*, p. 82. Camus in expansion of this statement says: "... s'abîmer dans cette certitude sans fond, se sentir désormais assez étranger à sa propre vie pour l'accroître et la parcourir sans la myopie de l'amant, il y a là le principe d'une libération" (p. 83).

important of these values is that of revolt against tyranny. Individual man feels instinctively the limits beyond which others, individuals or authorities, must not trespass on his fundamental rights. This is where we meet what Camus meant by 'la révolte'—the total refusal to accept tyranny beyond the instinctive limits set by man's inalienable sense of justice, which in its turn is based on his desire for happiness. As man rationalizes this sense of what he himself cannot tolerate, so he revolts against the 'absurd' in society as it applies to others as well as himself. 'La révolte' supplies the substitute for faith, therefore, by proving that values do exist and that the conviction that God does not exist is not a justification for every conceivable line of conduct. It is against 'absurd' reality that man must revolt and in so doing by political action he produces organized society; just as the artist, Camus says, produces the work of art, in his 'revolt' against reality, by artistic action. It is man's pride in what he does and in what he judges himself to be that provides all human values. Camus is putting in modern terms what Pascal said in Les Pensées (XXIV, Vanité de l'Homme); "L'orgueil contrepèse toutes nos misères, Car, ou il les cache, ou s'il les découvre, il se glorifie de les connaître."

Camus evolved a new liberal humanism built on a forbidding absence of hope rather than on the comfortable certainties of faith. He made individual man the only criterion of values, with only one certainty to comfort him; that he has many fellows, all involved in the same absurd experience as himself. Camus was primarily a moralist, preoccupied with the need to find values that would help solve the problems of his age. It was in this that he found temporary common ground with Sartre, who wrote in 1945 in an essay on La Littérature engagée: "Since the writer has no possible means of escape we wish him to cover his epoch exclusively; it is his only chance; his time is made for him, and he is made for it. Balzac's indifference in the days of '48 and Flaubert's frightened incomprehension of the Commune are to be regretted; regretted *for the writers' own sakes*; for there lies something which they have missed for ever. We want to miss nothing in our time; there may be other epochs more beautiful, but this is ours; we have only *this* life to live, in the midst of *this* war, perhaps, of *this* revolution . . ."[1] Camus found his inspiration in the events of his time and though his 'revolt' seemed to create basic values that contradict his theory of the 'absurd', he insists that these values only have validity in so far as they are created by the individual himself. Man is saved from the overwhelming absurdity of existence only when he strives to serve the values that do not belong to the universe but to mankind.

> ... Il m'apparaissait que l'homme devait affirmer la justice pour lutter contre l'injustice éternelle, créer du bonheur pour protester contre l'univers du malheur... je voulais seulement que les hommes retrouvent leur solidarité pour entrer en lutte contre leur destin révoltant... J'ai choisi la justice... pour rester fidèle à la terre. Je continue à croire que ce monde n'a pas de sens supérieur. Mais je sais que quelque chose en lui a du sens et c'est l'homme, parce qu'il est le seul être à exiger d'en avoir. Ce monde a du moins la vérité de l'homme et notre tâche est de lui donner ses raisons contre le destin lui-même. Et il n'a pas d'autres raisons que l'homme et c'est celui-ci qu'il faut sauver si l'on veut sauver l'idée qu'on se fait de la vie. Votre sourire et votre dédain me diront : qu'est-ce que sauver l'homme? Mais je vous le crie de tout moi-même, ce n'est pas le mutiler et c'est donner ses chances à la justice qu'il est le seul à concevoir.[2]

Camus' first concern was to attack the 'leap of faith' and any claim to immortality; for this belief is a threat to man's 'revolt', and consequently to his essential progress. Camus'

[1] Translation of the first few pages, published in *Horizon* for May 1945, pp. 307–312.

[2] *Lettres à un ami allemand*, p. 79.

works can be broadly divided into two groups: first, those written up to and including *La Peste* (1947), all concerned with the absence of demonstrable values in the universe and the consequent issues of suicide and responsibility; and second, those written after his break with Sartre, largely concerned with the danger of the political realism he saw in modern systems of politics, exemplified by the ease with which they justified their own tyranny.

THE NON-DRAMATIC WORKS

Camus began writing in Algiers when, as a student, he joined an enthusiastic amateur dramatics group and wrote several satirical plays for its programmes. He also toured with the company as one of the leading actors. He saw fit not to preserve his early works in print. A number of essays were his first published work—*L'Envers et l'Endroit* (1936) and *Noces* (1938)—and they foreshadow the first wholly philosophic work, *Le Mythe de Sisyphe*, published during the war, in 1942. Throughout the first book of essays runs a deep sense of the futility of life, emphasized by the cold lucidity with which Camus describes his feelings; in the second book, *Noces*, he brings the same lucidity to bear on the pleasures he sees in living—much of the book being unrestrained praise of the physical life. Camus always held the view that writers must be dedicated to the furtherance of human happiness: "Les écrivains sont du côté de la vie, contre la mort et le mal. C'est la seule justification de leur étrange métier."[1]

Published in Occupied Paris in 1942, Camus' short first novel, *L'Etranger*, brought the hitherto obscure author to immediate fame. The book gave forceful expression to the spiritual unrest that had troubled the French intellectual for a generation, and is troubling him still.

[1] From an interview in *Paru*, No. 47, 1948 (pp. 7–13).

Camus' hero, Meursault, is obsessed by physical sensations —the noises he hears, the objects he sees, the lights and colours of the world around him, his physical experiences and actions, all these things are vivid and of vital importance to him, whereas rational ideas and conventional feelings mean nothing at all. Meursault is indifferent to anything outside his sensations and he is unswervingly honest about them and about his feelings. This basic honesty is his undoing. He is annoyed when his mother dies, he has no feeling of sadness at her funeral—and when he faces trial his truthfulness on this detail makes him impossible for society to understand. He is sentenced to death for a murder he could have explained in large degree and for which he need not have died.

Camus himself said in *l'avant-propos* to a London edition of *L'Etranger* in 1955:

> Le héros du livre est condamné parce qu'il ne joue pas le jeu... il refuse de mentir. Mentir ce n'est pas seulement dire ce qui n'est pas. C'est aussi, c'est surtout, dire plus que ce qui est et, en ce qui concerne le cœur humain, dire plus qu'on ne sent.[1]

L'Etranger is the story of a clerk in Algiers who, after a number of incidents have given a picture of his peculiar virtue of absolute honesty in a bare and unattractive life, becomes involved in a chain of circumstances that lead to his shooting an Arab on the beach one day, almost in self-defence. He is tried, and condemned to death.

Camus called *L'Etranger* an objective statement of the logical results of the philosophy of the absurd.[2] For Meursault is convinced of the futility of existence and, seeing no meaning in society, he conforms to none of the rules of normal feeling—he hates conventions and denounces hope, he feels no remorse, no responsibility and no guilt. He spends his life in

---

[1] *L'Etranger*, London (Methuen, 1955), p. 1.
[2] Philip Thody, *Albert Camus*, p. 113.

eating, drinking, sleeping and smoking—nothing else matters to him at all. Love, friendship, honour, pity, affection, ambition, all are pointless—consequently nothing is of any interest to him in his mood of indifferent hopelessness.

One may dislike much of the character of Meursault and many of the ideas in the novel, but Camus' masterly writing drives one to accept Meursault's point of view as more reliable and consistent than that of society. Meursault is not an insensitive and unintelligent animal, as he has sometimes been called, he is a sensitive person hampered by an over-size virtue (absolute honesty) and thereby trapped because of the falseness of society's values.

Meursault represents a particular attitude to life taken to its logical extreme. *L'Etranger* is both a good story and an excellent allegory. Many critics saw only the story and not its meaning until *Le Mythe de Sisyphe* was published and the character of Meursault was explained. The critics mistakenly likened him to the moronic Lemmy in *Of Mice and Men* and made comparisons of the clipped, disjointed style with that of Hemingway and other American novelists. But lack of brain is not Meaursault's main characteristic at all —he dies because he will not lie about his feelings at his mother's funeral and because the rigid, inhuman values of society cannot understand his unaccommodating honesty. Others would unhesitatingly adjust themselves to the requirements of convention, so why will not Meursault do the same? Society does not understand him, but neither does Meursault understand society. He is living in a dream-like limbo where contacts are with physical things only and intellectual understanding is as remote as for any of Kafka's bewildered heroes.

In the same year Camus published *Le Mythe de Sisyphe*, an essay on the 'absurd', in which the attitude of mind that was exemplified in the character of Meursault was fully and

B

logically argued.   Sisyphe, the legendary king of Corinth who, for chaining up Death when it came for him, was condemned to eternal punishment in the form of continually rolling a stone up to the top of a hill in Hades, only to see it immediately roll down to the bottom again, was the perfect representative of the 'absurd' man, his tragedy lying particularly in his own consciousness of his absurdity.   Death, which we all have to face, and which Sisyphus had put in chains, is the great absurdity that makes everything else pointless.   The only answers to this monstrous 'absurdity' represented by death are: suicide—which is more pointless still; the 'leap of faith'—which is unacceptable to rational man; or 'revolt' —which creates for each man a personal justification for living.

From this time forward Camus devoted his work to exploring the possibilities of 'revolt'.   The 'absurd' view of the world explains the apathetic character of Meursault in *L'Etranger*, and it was a very accurate picture of the refusal of responsibility that was the mood of the time.   Driven on by his desire to belong, Camus, like so many of the intellectuals of the 'thirties, was deeply interested in the Communists, for they offered the greatest sense of human solidarity in a common aim by pursuing their practical line of political revolt. But the experience convinced him that the complete subservience of man to a theory is in itself a form of tyranny. He explored this idea first in *Lettres à un ami allemand*: "... je ne puis croire qu'il faille tout asservir au but que l'on poursuit. Il est des moyens qui ne s'excusent pas.   Et je voudrais pouvoir aimer mon pays tout en aimant la justice..."[1]   But justice must be helped or it will not win the struggle, says Camus—justice is a primary requirement in the society of men.   It is this working *for justice* that in fact makes life worth

[1] *Lettres à un ami allemand*, p. 20.

living. Meursault in *L'Etranger* was leading a meaningless life because he put no personal stamp on it and lived mechanically—he was indifferent to right and wrong, as he was to everything except physical excitement. He was spiritually dead.

The principal characters in *La Peste* (1947), unquestionably Camus' greatest novel, struggle to establish an atmosphere of justice about themselves. This novel about a bubonic plague that strikes the town of Oran is an allegory of the human condition, a symbolic tale of man's fight against the evil in this world, both the evil that is an inevitable part of life and the evil men find a way of doing to each other. Here Camus poses for the first time the problem that is to occupy him and form the central theme of his work for nearly ten years, a problem of morality: how should man deal with people who oppose him or stand in the way of his 'revolt'? Has man under any circumstances the right to kill an opponent? Do pure ends justify any ignoble means? In *L'Etat de Siège*, a play based on the novel of *La Peste*, the plague is very clearly meant to symbolize totalitarianism. (In Jean-Louis Barrault's production the actor playing the part of La Peste wore a Nazi officer's uniform.) The play and the novel are together an attack on all forms of dictatorship and injustice.

The philosophic message of this second work of fiction was expounded at length in an essay, *L'Homme révolté* (1951), as that of *L'Etranger* had been expounded in the essay of *Le Mythe de Sisyphe*. While the earlier essay opened with the statement that the only real philosophical problem was that of suicide, Camus now points out that the theory of the 'absurd' makes all actions equal, hence murder is as absurd as suicide, or as going on living. Suicide being rejected by his previous arguments, and mere acceptance of life shown to be meaningless, he moved towards a philosophy of positive action aimed at eliminating the world's injustice. But this

unavoidably leads to fighting people who resist your arguments—and is a man serving justice, however just his cause, if
he resorts to murder which is the logical solution to opposi-
tion? Logical murder is now for Camus the central problem
of moral philosophy. In the *L'Etranger* period he had out-
lined a special view of the world as 'absurd' because it is
incompatible with man's basic urges for justice and happiness.
In the *La Peste* period he went further, outlining minimum
rules for personal conduct in this 'absurd' world, rules of
tolerance and generosity to one's fellow-humans: "Le monde
où je vis me répugne," he says, "mais je me sens solidaire des
hommes qui y souffrent."

Camus had passed through the Resistance, the Liberation
and the disillusion of direct political action, between his first
and second statements of the problems facing modern man.
From mere violent revolt against tyranny of any sort in the
'absurd' world around him, he had moved on to the realiza-
tion that a rigidly organized society—though it might
eliminate the abuses against which he instinctively revolted—
could only too easily annihilate the individual himself. He
changed his emphasis and his aim, he opted no longer for
mere revolt but for the struggle for tolerance and individual
liberty, the central ideas of liberal humanism. It was this
growing sense of the need to safeguard individual liberty that
drove Camus—like George Orwell and Arthur Koestler
before him—to point to totalitarianism as the greatest danger
of all.

After *L'Homme révolté* Camus published one more volume
of essays, *L'Eté* (1954), a short novel, *La Chute* (1956,
the year in which he was awarded the Nobel Prize for
Literature) and a collection of short stories, *L'Exil et le
Royaume* (1957). *La Chute* began as one of the stories to be
included in *L'Exil et le Royaume* but, so Mr Philip Thody
tells us in his excellent study of Camus, it grew into a novel

as the author became passionately interested in writing it. It is, in fact, a statement of Camus' humanism in a curiously misleading form, for it reads like a record of mankind's guilty conscience at its own misdeeds. The book can be reconciled with Camus' known opinions only by admitting that it is written in a mood of bitter irony and that the unusually pessimistic view expressed through the narrator, Clamence, is just the view Camus wants his reader *not* to adopt. Clamence is highly conscious of his shortcomings—his dishonesty, his vanity, his baseness—but he is principally concerned with convincing all the people he meets that they are as bad as he is. The book is written in the form of a long monologue in which Clamence tells the story of his own vileness and hypocrisy. Camus once again used the novel for exploiting an attitude of mind to the extreme limit—as he did in *L'Etranger*—because he wanted to show the logical consequences involved. Also Camus wrote *La Chute* in a totally different style from the dry and disjointed style he had so effectively used in *L'Etranger*. *La Chute* is wordy, smooth and ingratiating, sometimes oozing with wily persuasiveness and then at moments viciously arch.

THE PLAYS

Camus' dramatic writing followed the same line of development as his other work and falls into the same two phases: those of 'absurdity' and 'revolt'. *Caligula* and *Le Malentendu*, written in 1938 and 1943, were not produced until 1945 and 1944 respectively. These two plays dealt with the 'absurd' world, and in them Camus showed both the strength of the evidence for this attitude of mind and where the argument could lead. No human experience could be more 'absurd' in Camus' sense of the word than that of the family described in *Le Malentendu*. It is a harsh and forbidding play.

A rich traveller comes to a hotel run by a mother and her daughter. The two women, in the same way as they have been doing to other travellers, drug his coffee, rob him and throw the body into the river. It is then that they discover that he had come back home wanting after twenty years to see what the remnants of his family were like before telling them who he was—he is, in fact, the long-lost son of one and the brother of the other woman. (This story is an expansion of a news item that Meursault reads in a newspaper in his prison cell in *L'Etranger*.) The play tells a grim and improbable story which fails to move us deeply—apart from a feeling of horror—because our sympathies are not won to the two women protagonists.

In *Caligula*, written before the war in 1938, one of the conclusions of the 'absurd' attitude is pursued to its extreme. The young Caligula is tortured by the thought that death makes every conceivable human activity absurd. His dearly loved sister dies and this makes him realize what death means: "Je vois que rien ne dure! Savoir cela!" he cries, and promptly sets himself to the task of destroying all semblance of *order* he can see in the world. His logic leads him to madness as he tries to force everyone to recognize the absurdity of the world. "J'ai simplement compris," he explains to Scipion, "qu'il n'y a qu'une façon de s'égaler aux dieux : il suffit d'être aussi cruel qu'eux."[1] As Mr Philip Thody points out in his book: "(Caligula) is indeed for Camus what Undershaft was for Shaw—a figure who is horribly right because things as they are are horribly wrong."[2] He is finally struck down by Cherea, his principal opponent, whom he has forgiven in advance. For Cherea is prompted by an instinctive urge to fight for human happiness, although this prompting may seem illogical in the face of Caligula's arguments. "... J'ai

[1] *Caligula*, Act III, Scene II, p. 166.
[2] Philip Thody, *Albert Camus*, p. 16.

envie de vivre et d'être heureux," Cherea says. "Je crois qu'on ne peut être ni l'un ni l'autre en poussant l'absurde dans toutes ses conséquences."[1] As Caligula dies he recognizes his mistake in trying to find his personal happiness along the road of inexorable logic: "Je n'ai pas pris le chemin que j'aurais dû prendre," he says, "ma liberté n'est pas la bonne."

This play suffers dramatically from the same weakness as *Le Malentendu*: it is difficult to enlist an audience's sympathy for a character so calculatedly cruel as Caligula. The argument dominates the play, and however logical his actions are intellectually, Caligula is emotionally unacceptable.

The 'absurd' plays, along with the 'absurd' novels, brought Camus to the point where he had shown how the 'absurd' could lead to violence and injustice on an unprecedented scale. The works to follow were to examine the directions to be taken by 'revolt' against the world's 'absurdity' along lines now not of logic but of feeling. "La justice est à la fois une idée et une chaleur d'âme," Camus wrote in one of his early editorials to *Combat* in November 1944. "Sachons la prendre dans ce qu'elle a d'humain sans la transformer en cette terrible passion abstraite qui a mutilé tant d'hommes."[2] The second phase of his work now pursued the 'chaleurs d'âme'— the inexplicable demand for justice in mankind, and the other incessant urge for happiness. These two emotional demands are the centre of Camus' attention henceforward, and justice and tolerance, love and respect for his fellow-men, the fight for all possible liberty and happiness for the individual, are to be his preoccupation.

L'Etat de Siège, the next play, produced in 1948, is in large measure a dramatic statement of the philosophic ideas Camus examined in *La Peste*. The conclusions are the same: the only satisfactory way of revolting against 'absurdity' is through

[1] *Caligula*, Act III, Scene VI, p. 179.
[2] *Actuelles*, II (Gallimard), 1946 p. 41.

seeking happiness for suffering mankind and thus enjoying a feeling of solidarity with your fellows—in a word, through love. The play was philosophically interesting but the characters once again were too much like symbols, too completely identified with the ideas, and had little personal life to clothe them on the stage.

LES JUSTES

It was at this time—when Camus' experience had convinced him of the absolute necessity to 'revolt', but at the same time had taught him to mistrust the heartless reasoning of the orthodox rebels, the Communists—that he wrote by far his best play, Les Justes.[1] (While still working on the play Camus used two other titles: La Corde, and Les Innocents; he finally decided on Les Justes.) The play, like its predecessors, was called 'too intellectual' and judged not to be a theatrical subject by some critics: "Une pièce? Non. Une idéologie. Des êtres qui vivent? Non. Des cerveaux affolés," wrote Jean-Jacques Gautier in Le Figaro after the first night. Naturally the papers of the political Right had little time for the heart-searchings of Communist terrorists however artistically presented. The majority of critics, however, united in praising the pure structure, the stringent dialogue and the compelling tension of the play.

Caligula was quite logical in wanting to build the happiness of humanity on thousands of dead, since in that way he could make the whole of humanity conscious of the meaning of death and the absurdity of life. Caligula finds out, but too late, that mere killing is not the solution. The difference between Camus' early 'absurd' and his later 'revolt' positions is that the 'absurd' is purely personal whereas 'revolt' implies

[1] The play was produced by Raymond Rouleau at the Théâtre Hébertot, with Serge Reggiani, Maria Casarès and Michel Bouquet in the leading parts.

passing beyond the personal to something more general.[1] In demanding 'revolt' and its expression through political action there is one essential principle to be observed: man's revolt must not increase the suffering of his fellows. It is the old problem of 'ends and means' applied to the contemporary political scene.

Les Justes is a study of the extreme logic of this problem as it presents itself to a group of highly logical 'rebels', a group of Russian terrorists. It asks the question: can the action we take in 'revolting' against the injustices of this world ever justifiably take the form of killing another person? Can even the purest ideals justify hatred and murder? Should service to however just a cause banish the basic promptings of man's soul towards love and happiness and fair dealing? Camus' long-standing mistrust of ideological systems here drove him to show in *Les Justes* to what excesses the claim to absolute truth, absolute justice or absolute anything can lead when it involves the sacrifice of the fundamental liberties and urges of the individual.

Les Justes examines the thoughts of a famous group of revolutionaries as they commit an assassination, planned to advance their cause. The cause is to further the ideal state, to establish a régime based on justice—absolute justice being the greatest of all intellectual ideals. The group of Russian terrorists portrayed in the play are real in the sense that the people represented existed, and much of their character and their way of thinking can be said to be 'historical'. In one or two details the play is admittedly non-historical: the real Kaliayev had been involved in one assassination before this attempt on the Grand Duke, though in the play Camus made this his first; the leader represented by the sensitive but rather serious Annenkov was in reality a brilliant aesthete and dilettante; the major character of Stepan, meant without

[1] This point is made by Mr Philip Thody, *op cit.*, p. 23.

doubt to present the inhuman rigidity of present-day Communists in contrast to the sensitive humanity of those of earlier generations, is a pure Camus invention: nevertheless the play is very close indeed to both the events and the probable states of mind of the real terrorists. Kaliayev in real life was called the Poet by the other terrorists, and he did refuse to kill the children in the Grand Duke's carriage; and Dora Brilliant (the only woman in the group) was a gifted girl chemist, a student, in love with Kaliayev and in love with the cause in just the same way as Camus portrays her in the play. There is ample evidence to show what kind of persons these terrorists were; most of them very quickly paid the supreme penalty, though in their trials, as a rule, they fearlessly expressed their views. Camus used the reports of these cases (especially the notes on the case of Fono Azev, one of the most successful of the Tsarist *agents provocateurs*), a novel by Goul (*The Bomb Throwers*) and the diaries of a number of persons closely involved: Savinkov (the terrorist who was the model for Annenkov), Zavronin and Spiridovitch (two senior officers of the Okhrana, the Tsarist prison service) and lastly, Tchernov.

The real Kaliayev spent two years in the Savinkov terrorist group before assassinating the Grand Duke Sergei. He joined at the age of twenty-six, in 1903, and he was hanged soon after the assassination in February 1905. He was one of the few terrorists who believed in God and he was said to hold the bomb in one hand and make the sign of the Cross with the other before throwing it at his victim.[1] The Savinkov group spent months doing observation in preparation for the Grand Duke's assassination and Kaliayev and a second man (Alexandrovski) were posted near the Town Hall in a snowstorm as the carriage came along bearing the Duke to the theatre.

[1] A. Camus, *Les Meurtriers délicats*, article in *La Table Ronde* for January 1948.

But as he was going to throw the bomb Kaliayev saw that the Grand Duchess, her niece Maria and her nephew Dimitri were also in the carriage. He drew back and let the carriage pass. He asked his comrades if they agreed with assassinating children and they supported him unanimously in refusing to do so. Kaliayev two days later killed the Grand Duke when he was alone.

Such an incident—the refusal to kill children in a just cause—and the mental suffering that these remarkable assassins are known to have had in the performance of their self-appointed task, were an excellent subject for Camus at this point. The story contained just the elements he needed. He was able to give the characters the 'vérité humaine' that he was coming more and more to seek—for in his Resistance days he had himself faced and seen others face these same issues. He too had used violence that he hated, hoping thereby to do away with tyranny and usher in what he believed would be a better world. The Resistance had been answering tyranny with violence, just as the Russian terrorists, in answer to the brutal massacre of several hundred people as they were walking peacefully towards the Winter Palace to speak to their tsar, planned the Duke Sergei's assassination. It was the sensitivity and the purity of thought shown by these dedicated murderers that attracted Camus. He could not but see the contrast between their respect for the humanity that underlay their plans of assassination, and the inhuman adherence to plans at the expense of humanity that characterizes latter-day totalitarians. To the terrorists represented by Kaliayev, Annenkov, Dora and Voinov in *Les Justes*, assassination was totally unjustifiable—"nécessaire et inexcusable," says Camus, "C'est ainsi que le meurtre leur apparaissait." But they had a solution: "Incapables de justifier ce qu'ils trouvaient pourtant nécessaire, ils ont imaginé de se donner eux-mêmes en justification et de répondre à la question qu'ils se posaient par le

sacrifice personnel... Une vie est payée par une autre vie."
The real Kaliayev after sentence of death was passed on him
said to the court: "I consider my death to be my supreme
protest against a world full of blood and tears." Such deli-
cate feelings as these have long died in the revolutionary
movement and murder is a method nowadays unhesitatingly
used. Camus said of our day: "Le terrorisme est devenu
confortable : il a ses bureaux."

The central point of the play (as far as the idea alone is
concerned) is in the scene between Kaliayev and Stepan at the
end of the second act. Kaliayev, supported by Dora, thinks
that there are limits imposed by basic humanity on revolutionary action; Stepan thinks there are none. On this question of principle a verbal battle is fought between the two
kinds of terrorist, the two kinds of mind, the two philosophies
of 'justice' that are represented by Stepan and Kaliayev. All
revolutions sooner or later clash with personal liberty, the very
pursuit of absolute justice resulting in a denial of personal
liberty. But it is only at the peril of their cause that leaders
ignore the limits of privacy set by the human nature of the
individual. If revolution transgresses those limits it is deny-
ing its central aim. This impressive debate between Stepan
and Kaliayev reveals the nature of the conflict which is the
theme of the play.

To Stepan the revolution justifies anything: treachery,
murder, general destruction. He can see no limits he need
observe while working to reach his aim—and what he feels
he must do first is destroy the world as he sees it, kill and
destroy. Kaliayev sees beyond mere destruction and death,
he kills for living's sake, for the sake of 'love'—it is not
hatred for what he knows, but love for what he would like
to know in this world, that drives him on and justifies him.
He is inspired by love for mankind, love for the other men
and women on this earth who are alive with him, whom he

can see around him and who have to live in the world he knows. He refuses to think he is fighting for an abstract idea that will justify him in treachery and injustice, he is fighting in the name of men's tolerance and love for one another, no more and no less. "Je n'irai pas ajouter à l'injustice vivante pour une injustice morte," he says. He is committing what he must think of as crime—though it is done for the sake of all that he reveres in man: his love and his suffering. Kaliayev knows his action is unforgivable and he has only one hope and one justification—that it will be cancelled out by his own death at the hands of the authorities. A life for a life. Through his own death on the gallows he will redeem himself and recover his innocence.[1] Kaliayev sees man as more than a mere cypher in plans for a better society; his fundamental feeling of solidarity, his faith in the love of man for man, is all that makes life worth the suffering it inevitably entails. "Pour que l'homme s'attache à l'homme, il faut qu'il trouve en l'homme autre chose qu'un prétexte à calcul ou une chance théorique: cette autre chose, ce n'est pas seulement l'émouvante présence qui sauve de l'abstrait, c'est sa dignité, la part de lui-même supérieure à la condition qui lui est faite, la part qui mérite l'amour."

A secondary theme is allowed to appear in this central scene and it is to this secondary theme that much of the dramatic tension and interest in the play attach. Dora and Kaliayev are in love, but they deny their love its expression, accepting that their duty to the cause of universal justice takes precedence over their desire for personal happiness. Here are love and duty once more in conflict as completely as in Chimène and Rodrigue. So little does Camus make of this sentiment that its impact is very powerful in the play; he

---

[1] This attitude can be compared with the suicidal readiness of Andre Malraux's hero, Tchen, in *La Condition humaine*, to die in his attempt to assassinate Chiang-Kai-Shek.

allows Dora only a few seconds of weakness when she pleads for a respite from the stern demands of duty. Thereafter she sends her lover, and ultimately herself, into the arms of death with immovable determination. Their martyred love is allowed to express itself once again, and with extraordinary dramatic force, in the last scene. Such a touch of romance is very rare in Camus' work.

The terrorists are in fact living a life of contradiction, but the best of them are only too aware of it. "Il est facile, beaucoup plus facile de mourir de ses contradictions que de les vivre," says Kaliayev. "Nous ne sommes pas de ce monde, nous sommes des justes," cried Dora in her despair. This explains their deepest suffering as well as their deepest self-justification. "J'aime la beauté et le bonheur, voilà pourquoi je hais le despotisme," Kaliayev says elsewhere. Happiness is the keynote of their dream, death the keynote of their reality.

Les Justes is an examination of the revolutionary position in its extreme form and is a plea for the mistrust of abstract logic and for a policy of trust in the generosity and the sense of justice that are in man's heart rather than in his head. It is an attack on absolutism and a demand for moderation—what Camus himself called 'la mesure' and examined at length in *L'Homme révolté*.

The play is unashamedly a play of ideas and by definition runs the risk of becoming no more than a discussion. It is cast in the serious tone that belongs to all Camus' writing and there is no bright décor, no sparkling lyricism, no sounding rhetoric to give it colour. It is a sincere and idealistic play, very genuine in feeling, and for a play of ideas the characters are remarkably human and their words carry a rare measure of artistic truth. The ideological discussion that might have been fatal to the dramatic force of the play is full of warmth. The action is reduced to a strict minimum and the dialogue is stripped to its barest possible form—the same precision, the same passionate control as in his best political articles runs through the lines.   There is a certain loosening to be felt as the play progresses—the first two acts being stark, the third more sentimental, the last two noticeably fuller in tone. Theatrical effects in the individual lines were rigorously excluded by Camus in favour of a general effect of compelling simplicity and compactness of speech.   This is a rare example of the 'style dépouillé' in modern drama.

It would be a mistake to equate the hero of this play, as it would the hero of any of his works from *L'Etranger* to *La Chute*, with Albert Camus himself.   Though he expresses his own views and feelings through them he is always primarily exploring an attitude of mind that he considers common to many people in the twentieth century—in the case of *Les Justes* common in particular to many intellectuals.   From the work that was later published by Camus,[1] especially from *L'Homme révolté*, we can see that his first concern was to assert and protect the fundamental rights of the individual against tyranny.   This raised the problem of 'ends and means' that had especially troubled the between-wars generation (*cf.* Aldous Huxley's *Ends and Means*, another analysis of the problem in its political aspect).   Camus examined this great issue once again, in the light of the hitherto unthinkable cruelty and degradation to which the last twenty years had proved that civilized man could sink.

Les Justes was a final word on the question that had divided Camus from Sartre.   The latter had put forward in *Les Mains*

---

[1] After *Les Justes* Camus had considerable success in the theatre with a number of adaptations.   He produced no more original plays before he died. The adaptations were: *Les Esprits*, from one of Pierre de Larivey's comedies; *La Dévotion à la Croix*, from a play by Calderòn de la Barca; *Un Cas intéressant*, from a play by Dino Buzzati; *Requiem pour une Nonne*, from a story by William Faulkner; *Les Possédés*, from Dostoievsky's novel.

sales, some eighteen months earlier, the case for the ends justifying the means. His main character, Hoederer, was a thorough realist in politics, prepared for any lies and deceit to advance his purpose. Kaliayev, assassin though he was, was of a totally different breed. How very rightly Dora cried in her anguish: "Nous ne sommes pas de ce monde, nous sommes des justes."

BIBLIOGRAPHY

A. Principal Works of Albert Camus

ESSAYS, ETC.

L'Envers et l'Endroit (Essays), Charlot, Algiers, 1936.
Noces (Essays), Charlot, 1938.
Le Mythe de Sisyphe (Essay), Gallimard, 1942.
Lettres à un ami allemand, Gallimard, 1945.
Actuelles, I (Articles), Gallimard, 1950.
L'Homme révolté (Essay), Gallimard, 1951.
Actuelles, II (Articles), Gallimard, 1953.
L'Eté (Essays), Gallimard, 1954.
Actuelles, III (Articles), Gallimard, 1958.
An article of special relevance to *Les Justes* was published under the title of *Les Meurtriers délicats* in La Table ronde for 1948, No. 1.

FICTION

L'Etranger (Récit), Gallimard, 1942.
La Peste (Chronique), Gallimard, 1947.
La Chute (Récit), Gallimard, 1956.
L'Exil et le Royaume (Nouvelles), Gallimard, 1957.

PLAYS

Caligula (written in 1938) and *Le Malentendu* (written in 1943) were published together by Gallimard in 1944.
L'Etat de Siège, Gallimard, 1948.
Les Justes, Gallimard, 1950.

B. Principal Books and Articles about Albert Camus

BOOKS

Robert de Luppé, *Albert Camus*, Editions Universitaires, Paris, 1952.
Albert Maquet, *Albert Camus ou l'invincible été*, Nouvelles Editions Debresse, Paris, 1956.

C

ROGER QUILLIOT, *La Mer et les Prisons*, Gallimard, 1956.

PIERRE-HENRI SIMON, *L'Homme en Procès*, Editions de la Baconnière, Neuchâtel, 1950.

PHILIP THODY, *Albert Camus*, Hamish Hamilton, 1957.

LÉON THOORENS, *A la Recherche d'Albert Camus*, La Sixaine, Paris, 1946.

ARTICLES

A. J. AYER, *Albert Camus*, Horizon, XIII, 1946.

G. BATAILLE, *Le bonheur, le malheur et la morale d'Albert Camus*, Critique, Vol. V, No. 33, 1949.

M. BEIGBEDER, *Les Justes*, Esprit, No. 164, 1950.

GERMAINE BRÉE, *Introduction to Albert Camus*, French Studies, Vol. IV, No. 1, 1950.

ALEX COMFORT, *Albert Camus*, World Review, November, 1949.

G. DUMUR, *Portrait d'Albert Camus*, Confluences, No. 33, 1944.

H. MASON, *M. Camus and the Tragic Hero*, Scrutiny, Vol. XIV, No. 2, 1946.

C. MAURIAC, *L'Homme révolté d'Albert Camus*, La Table ronde, No. 48, 1951.

H. PERRUCHOT, *Albert Camus*, Réalités, juillet, 1949.

J.-P. SARTRE, *Réponse à Albert Camus*, Les Temps modernes, No. 82, 1952.

H. R. STOCKWELL, *Albert Camus*, The Cambridge Journal, Vol. VII, No. 11, 1954.

P. THODY, *Albert Camus*, The Contemporary Review, Vol. CLXXXX, No. 1092, 1956.

LES JUSTES

PERSONNAGES*

Dora Doulebov

La Grande-Duchesse

Ivan Kaliayev

Stepan Fedorov

Boris Annenkov

Alexis Voinov

Skouratov

Foka

Le Gardien

An asterisk in the text indicates that the phrase or word so marked is explained or commented on in the Notes at the end of the book.

ACTE PREMIER

L'appartement des terroristes.   Le matin.

Le rideau se lève dans le silence.   Dora et Annenkov sont sur la scène, immobiles.   On entend le timbre de l'entrée, une fois. Annenkov fait un geste pour arrêter Dora qui semble vouloir parler. Le timbre retentit deux fois, coup sur coup.

ANNENKOV.   C'est lui.

Il sort.   Dora attend, toujours immobile.   Annenkov revient avec Stepan qu'il tient par les épaules.

ANNENKOV.   C'est lui!   Voilà Stepan.

DORA, *elle va vers Stepan et lui prend la main.*   Quel bonheur, Stepan.

STEPAN.   Bonjour, Dora.

DORA, *elle le regarde.*   Trois ans, déjà.

STEPAN.   Oui, trois ans.   Le jour où ils m'ont arrêté, j'allais vous rejoindre.

DORA.   Nous t'attendions.*   Le temps passait et mon cœur se serrait de plus en plus.   Nous n'osions plus nous regarder.

ANNENKOV.   Il a fallu changer d'appartement, une fois de plus.

STEPAN.   Je sais.

DORA.   Et là-bas, Stepan?

STEPAN.   Là-bas?

DORA.   Le bagne?

STEPAN.   On s'en évade.

ANNENKOV. Oui. Nous étions contents quand nous avons appris que tu avais pu gagner la Suisse.

STEPAN. La Suisse est un autre bagne, Boria.

ANNENKOV. Que dis-tu ? Ils sont libres, au moins.

STEPAN. La liberté est un bagne aussi longtemps qu'un seul homme est asservi sur la terre. J'étais libre et je ne cessais de penser à la Russie et à ses esclaves.*

Silence.

ANNENKOV. Je suis heureux, Stepan, que le parti t'ait envoyé ici.

STEPAN. Il le fallait. J'étouffais. Agir, agir enfin...

Il regarde Annenkov.

Nous le tuerons, n'est-ce pas ?

ANNENKOV. J'en suis sûr.

STEPAN. Nous tuerons ce bourreau. Tu es le chef, Boria, et je t'obéirai.

ANNENKOV. Je n'ai pas besoin de ta promesse, Stepan. Nous sommes tous frères.

STEPAN. Il faut une discipline. J'ai compris cela au bagne. Le parti socialiste révolutionnaire a besoin d'une discipline. Disciplinés, nous tuerons le grand duc et nous abattrons la tyrannie.

DORA, *allant vers lui.* Assieds-toi, Stepan. Tu dois être fatigué, après ce long voyage.

STEPAN. Je ne suis jamais fatigué.

Silence. Dora va s'asseoir.

STEPAN. Tout est-il prêt, Boria ?

ANNENKOV, *changeant de ton.* Depuis un mois, deux des nôtres étudient les déplacements du grand duc. Dora a réuni le matériel nécessaire.*

STEPAN. La proclamation est-elle rédigée?

ANNENKOV. Oui. Toute la Russie saura que le grand duc Serge a été exécuté à la bombe par le groupe de combat du parti socialiste révolutionnaire pour hâter la libération du peuple russe. La cour impériale apprendra aussi que nous sommes décidés à exercer la terreur jusqu'à ce que la terre soit rendue au peuple. Oui, Stepan, oui, tout est prêt! Le moment approche.

STEPAN. Que dois-je faire?

ANNENKOV. Pour commencer, tu aideras Dora. Schweitzer, que tu remplaces, travaillait avec elle.

STEPAN. Il a été tué?

ANNENKOV. Oui.

STEPAN. Comment?

DORA. Un accident.

> *Stepan regarde Dora. Dora détourne les yeux.*

STEPAN. Ensuite?

ANNENKOV. Ensuite, nous verrons. Tu dois être prêt à nous remplacer, le cas échéant, et maintenir la liaison avec le Comité Central.

STEPAN. Qui sont nos camarades?

ANNENKOV. Tu as rencontré Voinov en Suisse. J'ai confiance en lui, malgré sa jeunesse. Tu ne connais pas Yanek.

STEPAN. Yanek?

ANNENKOV. Kaliayev. Nous l'appelons aussi le Poète.

STEPAN. Ce n'est pas un nom pour un terroriste.*

ANNENKOV, *riant.* Yanek pense le contraire. Il dit que la poésie est révolutionnaire.

STEPAN. La bombe seule est révolutionnaire.* [*Silence.*] Dora, crois-tu que je saurai t'aider?

DORA. Oui. Il faut seulement prendre garde à ne pas briser le tube.

STEPAN. Et s'il se brise?

DORA. C'est ainsi que Schweitzer est mort. [*Un temps.*] Pourquoi souris-tu, Stepan?

STEPAN. Je souris?

DORA. Oui.

STEPAN. Cela m'arrive quelquefois. [*Un temps. Stepan semble réfléchir.*] Dora, une seule bombe suffirait-elle à faire sauter cette maison?

DORA. Une seule, non. Mais elle l'endommagerait.

STEPAN. Combien en faudrait-il pour faire sauter Moscou?

ANNENKOV. Tu es fou! Que veux-tu dire?

STEPAN. Rien.

On sonne une fois. Ils écoutent et attendent. On sonne deux fois. Annenkov passe dans l'antichambre et revient avec Voinov.

VOINOV. Stepan!

STEPAN. Bonjour.

Ils se serrent la main. Voinov va vers Dora et l'embrasse.

ANNENKOV. Tout s'est bien passé, Alexis?

VOINOV. Oui.

ANNENKOV. As-tu étudié le parcours du palais au théâtre?

VOINOV. Je puis maintenant le dessiner. Regarde. [*Il dessine.*] Des tournants, des voies rétrécies, des encombrements... la voiture passera sous nos fenêtres.

ANNENKOV. Que signifient ces deux croix?

VOINOV. Une petite place où les chevaux ralentiront et le théâtre où ils s'arrêteront. A mon avis, ce sont les meilleurs endroits.

ANNENKOV. Donne!

STEPAN. Les mouchards?

VOINOV, *hésitant.* Il y en a beaucoup.

STEPAN. Ils t'impressionnent?*

VOINOV. Je ne suis pas à l'aise.

ANNENKOV. Personne n'est à l'aise devant eux. Ne te trouble pas.

VOINOV. Je ne crains rien. Je ne m'habitue pas à mentir, voilà tout.

STEPAN. Tout le monde ment. Bien mentir, voilà ce qu'il faut.

VOINOV. Ce n'est pas facile. Lorsque j'étais étudiant, mes camarades se moquaient de moi parce que je ne savais pas dissimuler. Je disais ce que je pensais. Finalement, on m'a renvoyé de l'Université.

STEPAN. Pourquoi?

VOINOV. Au cours d'histoire, le professeur m'a demandé comment Pierre le Grand avait édifié Pétrograd.

STEPAN. Bonne question.

VOINOV. Avec le sang et le fouet, ai-je répondu. J'ai été chassé.

STEPAN. Ensuite...

VOINOV. J'ai compris qu'il ne suffisait pas de dénoncer l'injustice. Il fallait donner sa vie pour la combattre. Maintenant, je suis heureux.

STEPAN. Et pourtant, tu mens?

VOINOV. Je mens. Mais je ne mentirai plus le jour où je lancerai la bombe.

On sonne. Deux coups, puis un seul.* Dora s'élance.

ANNENKOV. C'est Yanek.

STEPAN. Ce n'est pas le même signal.

ANNENKOV. Yanek s'est amusé à le changer. Il a son signal personnel.

Stepan hausse les épaules. On entend Dora parler dans l'anti-chambre. Entrent Dora et Kaliayev, se tenant par le bras, Kaliayev rit.

DORA. Yanek. Voici Stepan qui remplace Schweitzer.

KALIAYEV. Sois le bienvenu, frère.

STEPAN. Merci.

Dora et Kaliayev vont s'asseoir, face aux autres.

ANNENKOV. Yanek, es-tu sûr de reconnaître la calèche?

KALIAYEV. Oui, je l'ai vue deux fois, à loisir. Qu'elle paraisse à l'horizon et je la reconnaîtrai entre mille! J'ai noté tous les détails. Par exemple, un des verres de la lanterne gauche est ébréché.

VOINOV. Et les mouchards?

KALIAYEV. Des nuées. Mais nous sommes de vieux amis. Ils m'achètent des cigarettes. [*Il rit.*]

ANNENKOV. Pavel a-t-il confirmé le renseignement?

KALIAYEV. Le grand duc ira cette semaine au théâtre. Dans un moment, Pavel connaîtra le jour exact et remettra un message au portier. [*Il se tourne vers Dora et rit.*] Nous avons de la chance, Dora.

DORA, *le regardant.* Tu n'es plus colporteur? Te voilà grand seigneur à présent. Que tu es beau. Tu ne regrettes pas ta touloupe*?

KALIAYEV, *il rit.* C'est vrai, j'en étais très fier. [*A Stepan et Annenkov.*] J'ai passé deux mois à observer les colporteurs, plus d'un mois à m'exercer dans ma petite chambre. Mes collègues n'ont jamais eu de soupçons. « Un fameux gaillard, disaient-ils. Il vendrait même les chevaux du tsar. » Et ils essayaient de m'imiter à leur tour.

DORA.   Naturellement, tu riais.

KALIAYEV.   Tu sais bien que je ne peux m'en empêcher.
Ce déguisement, cette nouvelle vie... Tout m'amusait.

DORA.   Moi, je n'aime pas les déguisements. [*Elle montre
sa robe.*] Et puis, cette défroque luxueuse! Boria aurait pu
me trouver autre chose. Une actrice! Mon cœur est simple.

KALIAYEV, *il rit*. Tu es si jolie, avec cette robe.

DORA.   Jolie! Je serais contente de l'être. Mais il ne faut
pas y penser.

KALIAYEV. Pourquoi? Tes yeux sont toujours tristes,
Dora. Il faut être gaie, il faut être fière. La beauté existe,
la joie existe! « Aux lieux tranquilles où mon cœur te
souhaitait...   ✗ 74

DORA, *souriant*. Je respirais un éternel été...* »

KALIAYEV. Oh! Dora, tu te souviens de ces vers. Tu
souris? Comme je suis heureux...

STEPAN, *le coupant*. Nous perdons notre temps. Boria, je
suppose qu'il faut prévenir le portier?

                    Kaliayev le regarde avec étonnement.

ANNENKOV. Oui. Dora, veux-tu descendre? N'oublie
pas le pourboire. Voinov t'aidera ensuite à rassembler le
matériel dans la chambre.

*Ils sortent chacun d'un côté.   Stepan marche vers Annenkov d'un
pas décidé.*

STEPAN.   Je veux lancer la bombe.

ANNENKOV. Non, Stepan. Les lanceurs ont déjà été
désignés.

STEPAN. Je t'en prie. Tu sais ce que cela signifie pour moi.

ANNENKOV. Non. La règle est la règle. [*Un silence.*]
Je ne la lance pas, moi, et je vais attendre ici. La règle est dure.

STEPAN. Qui lancera la première bombe?

KALIAYEV. Moi. Voinov lance la deuxième.

STEPAN. Toi!

KALIAYEV. Cela te surprend? Tu n'as donc pas confiance en moi!

STEPAN. Il faut de l'expérience.

KALIAYEV. De l'expérience? Tu sais très bien qu'on ne la lance jamais qu'une fois et qu'ensuite... Personne ne l'a jamais lancée deux fois.

STEPAN. Il faut une main ferme.

KALIAYEV, *montrant sa main*. Regarde. Crois-tu qu'elle tremblera?

Stepan se détourne.

KALIAYEV. Elle ne tremblera pas. Quoi! J'aurais le tyran devant moi et j'hésiterais? Comment peux-tu le croire? Et si même mon bras tremblait, je sais un moyen de tuer le grand duc à coup sûr.

ANNENKOV. Lequel?

KALIAYEV. Se jeter sous les pieds des chevaux.*

Stepan hausse les épaules et va s'asseoir au fond.

ANNENKOV. Non, cela n'est pas nécessaire. Il faudra essayer de fuir. L'organisation a besoin de toi,* tu dois te préserver.

KALIAYEV. J'obéirai, Boria! Quel honneur, quel honneur pour moi! Oh! j'en serai digne.

ANNENKOV. Stepan, tu seras dans la rue, pendant que Yanek et Alexis guetteront la calèche. Tu passeras régulièrement devant nos fenêtres et nous conviendrons d'un signal. Dora et moi attendrons ici le moment de lancer la proclamation. Si nous avons un peu de chance, le grand duc sera abattu.

KALIAYEV, *dans l'exaltation.* Oui, je l'abattrai! Quel bonheur si c'est un succès! Le grand duc, ce n'est rien. Il faut frapper plus haut!

ANNENKOV. D'abord le grand duc.

KALIAYEV. Et si c'est un échec, Boria? Vois-tu, il faudrait imiter les Japonais.

ANNENKOV. Que veux-tu dire?

KALIAYEV. Pendant la guerre, les Japonais ne se rendaient pas. Ils se suicidaient.

ANNENKOV. Non. Ne pense pas au suicide.

KALIAYEV. A quoi donc?

ANNENKOV. A la terreur, de nouveau.

STEPAN, *parlant au fond.* Pour se suicider, il faut beaucoup s'aimer. Un vrai révolutionnaire ne peut pas s'aimer.

KALIAYEV, *se retournant vivement.* Un vrai révolutionnaire? Pourquoi me traites-tu ainsi? Que t'ai-je fait?

STEPAN. Je n'aime pas ceux qui entrent dans la révolution parce qu'ils s'ennuient.

ANNENKOV. Stepan!

STEPAN, *se levant et descendant vers eux.* Oui, je suis brutal. Mais pour moi, la haine n'est pas un jeu. Nous ne sommes pas là pour nous admirer. Nous sommes là pour réussir.

KALIAYEV, *doucement.* Pourquoi m'offenses-tu? Qui t'a dit que je m'ennuyais?

STEPAN. Je ne sais pas. Tu changes les signaux, tu aimes à jouer le rôle de colporteur, tu dis des vers, tu veux te lancer sous les pieds des chevaux, et maintenant, le suicide... [*Il le regarde.*] Je n'ai pas confiance en toi.

KALIAYEV, *se dominant.* Tu ne me connais pas, frère. J'aime la vie. Je ne m'ennuie pas. Je suis entré dans la révolution parce que j'aime la vie.*

STEPAN. Je n'aime pas la vie, mais la justice qui est au-dessus de la vie.

KALIAYEV, *avec un effort visible*. Chacun sert la justice comme il peut. Il faut accepter que nous soyons différents. Il faut nous aimer, si nous le pouvons.

STEPAN. Nous ne le pouvons pas.

KALIAYEV, *éclatant*. Que fais-tu donc parmi nous?

STEPAN. Je suis venu pour tuer un homme, non pour l'aimer ni pour saluer sa différence.

KALIAYEV, *violemment*. Tu ne le tueras pas seul ni au nom de rien. Tu le tueras avec nous et au nom du peuple russe. Voilà ta justification.

STEPAN, *même jeu*. Je n'en ai pas besoin. J'ai été justifié en une nuit, et pour toujours, il y a trois ans, au bagne. Et je ne supporterai pas...

ANNENKOV. Assez! Etes-vous donc fous? Vous sou-venez-vous de qui nous sommes? Des frères, confondus les uns aux autres, tournés vers l'exécution des tyrans, pour la libération du pays! Nous tuons ensemble, et rien ne peut nous séparer. [*Silence. Il les regarde.*] Viens, Stepan, nous devons convenir des signaux...

Stepan sort.

ANNENKOV, *à Kaliayev*. Ce n'est rien. Stepan a souffert. Je lui parlerai.

KALIAYEV, *très pâle*. Il m'a offensé, Boria.

Entre Dora.

DORA, *apercevant Kaliayev*. Qu'y a-t-il?

ANNENKOV. Rien.

Il sort.

DORA, *à Kaliayev*. Qu'y a-t-il?

KALIAYEV. Nous nous sommes heurtés, déjà. Il ne m'aime pas.

Dora va s'asseoir, en silence.   Un temps.

DORA. Je crois qu'il n'aime personne.   Quand tout sera fini, il sera plus heureux.   Ne sois pas triste.

KALIAYEV. Je suis triste. J'ai besoin d'être aimé de vous tous. J'ai tout quitté pour l'Organisation. Comment supporter que mes frères se détournent de moi?   Quelquefois, j'ai l'impression qu'ils ne me comprennent pas.   Est-ce ma faute? Je suis maladroit, je le sais...

DORA. Ils t'aiment et te comprennent. Stepan est différent.

KALIAYEV. Non. Je sais ce qu'il pense. Schweitzer le disait déjà : « Trop extraordinaire pour être révolutionnaire. » Je voudrais leur expliquer que je ne suis pas extraordinaire. Ils me trouvent un peu fou, trop spontané.   Pourtant, je crois comme eux à l'idée.   Comme eux, je veux me sacrifier. Moi aussi, je puis être adroit, taciturne, dissimulé, efficace. Seulement, la vie continue de me paraître merveilleuse. J'aime la beauté, le bonheur!   C'est pour cela que je hais le despotisme.   Comment leur expliquer?   La révolution, bien sûr! Mais la révolution pour la vie, pour donner une chance à la vie, tu comprends?

DORA, *avec élan*. Oui... [*Plus bas, après un silence.*]   Et pourtant, nous allons donner la mort.

KALIAYEV. Qui, nous?... Ah, tu veux dire... Ce n'est pas la même chose.   Oh non! ce n'est pas la même chose. Et puis, nous tuons pour bâtir un monde où plus jamais personne ne tuera! Nous acceptons d'être criminels pour que la terre se couvre enfin d'innocents.

DORA.   Et si cela n'était pas?

KALIAYEV. Tais-toi, tu sais bien que c'est impossible. Stepan aurait raison alors. Et il faudrait cracher à la figure de la beauté.

DORA. Je suis plus vieille que toi dans l'organisation. Je sais que rien n'est simple. Mais tu as la foi... Nous avons tous besoin de foi.

KALIAYEV. La foi? Non. Un seul l'avait.*

DORA. Tu as la force de l'âme. Et tu écarteras tout pour aller jusqu'au bout. Pourquoi as-tu demandé à lancer la première bombe?

KALIAYEV. Peut-on parler de l'action terroriste sans y prendre part?

DORA. Non.

KALIAYEV. Il faut être au premier rang.

DORA, *qui semble réfléchir.* Oui. Il y a le premier rang et il y a le dernier moment. Nous devons y penser. Là est le courage, l'exaltation dont nous avons besoin... dont tu as besoin.

KALIAYEV. Depuis un an, je ne pense à rien d'autre. C'est pour ce moment que j'ai vécu jusqu'ici. Et je sais maintenant que je voudrais périr sur place, à côté du grand duc. Perdre mon sang jusqu'à la dernière goutte, ou bien brûler d'un seul coup, dans la flamme de l'explosion, et ne rien laisser derrière moi. Comprends-tu pourquoi j'ai demandé à lancer la bombe? Mourir pour l'idée, c'est la seule façon d'être à la hauteur de l'idée. C'est la justification.

DORA. Moi aussi, je désire cette mort-là.

KALIAYEV. Oui, c'est un bonheur qu'on peut envier. La nuit, je me retourne parfois sur ma paillasse de colporteur. Une pensée me tourmente : ils ont fait de nous des assassins. Mais je pense en même temps que je vais mourir, et alors mon cœur s'apaise.   Je souris, vois-tu, et je me rendors comme un enfant.

DORA. C'est bien ainsi, Yanek.   Tuer et mourir.   Mais, à mon avis, il est un bonheur encore plus grand.   [*Un temps. Kaliayev la regarde.   Elle baisse les yeux.*]   L'échafaud.

KALIAYEV, *avec fièvre.* J'y ai pensé.   Mourir au moment de l'attentat laisse quelque chose d'inachevé.   Entre l'attentat et l'échafaud, au contraire, il y a toute une éternité, la seule peut-être, pour l'homme.

DORA, *d'une voix pressante, lui prenant les mains.* C'est la pensée qui doit t'aider.   Nous payons plus que nous ne devons.

KALIAYEV.   Que veux-tu dire?

DORA.   Nous sommes obligés de tuer, n'est-ce pas?   Nous sacrifions délibérément une vie et une seule?

KALIAYEV.   Oui.

DORA.   Mais aller vers l'attentat et puis vers l'échafaud, c'est donner deux fois sa vie.   Nous payons plus que nous ne devons.

KALIAYEV.   Oui, c'est mourir deux fois.   Merci, Dora. Personne ne peut rien nous reprocher.   Maintenant, je suis sûr de moi.

Silence.

Qu'as-tu, Dora?   Tu ne dis rien?

DORA.   Je voudrais encore t'aider.   Seulement...

KALIAYEV.   Seulement?

DORA.   Non, je suis folle.

KALIAYEV.   Tu te méfies de moi?

DORA.   Oh non, mon chéri, je me méfie de moi.   Depuis la mort de Schweitzer, j'ai parfois de singulières idées.   Et puis, ce n'est pas à moi de te dire ce qui sera difficile.

D

KALIAYEV. J'aime ce qui est difficile. Si tu m'estimes, parle.

DORA, *le regardant.* Je sais. Tu es courageux. C'est cela qui m'inquiète. Tu ris, tu t'exaltes, tu marches au sacrifice, plein de ferveur. Mais dans quelques heures, il faudra sortir de ce rêve, et agir. Peut-être vaut-il mieux en parler à l'avance... pour éviter une surprise, une défaillance...

KALIAYEV. Je n'aurai pas de défaillance. Dis ce que tu penses.

DORA. Eh bien, l'attentat, l'échafaud, mourir deux fois, c'est le plus facile. Ton cœur y suffira. Mais le premier rang... [*Elle se tait, le regarde et semble hésiter.*] Au premier rang, tu vas le voir...

KALIAYEV. Qui?

DORA. Le grand-duc.

KALIAYEV. Une seconde, à peine.

DORA. Une seconde où tu le regarderas! Oh! Yanek, il faut que tu saches, il faut que tu sois prévenu! Un homme est un homme. Le grand duc a peut-être des yeux compatissants. Tu le verras se gratter l'oreille ou sourire joyeusement. Qui sait, il portera peut-être une petite coupure de rasoir. Et s'il te regarde à ce moment-là...

KALIAYEV. Ce n'est pas lui que je tue. Je tue le despotisme.

DORA. Bien sûr, bien sûr. Il faut tuer le despotisme. Je préparerai la bombe et en scellant le tube, tu sais, au moment le plus difficile, quand les nerfs se tendent, j'aurai cependant un étrange bonheur dans le cœur. Mais je ne connais pas le grand duc et ce serait moins facile si, pendant ce temps, il était assis devant moi. Toi, tu vas le voir de près. De très près...

KALIAYEV, *avec violence.*   Je ne le verrai pas.

DORA.   Pourquoi?   Fermeras-tu les yeux?

KALIAYEV.   Non.   Mais Dieu aidant, la haine me viendra au bon moment, et m'aveuglera.*

On sonne.   Un seul coup.   Ils s'immobilisent.   Entrent Stepan et Voinov.

Voix dans l'antichambre.   Entre Annenkov.

ANNENKOV.   C'est le portier.   Le grand-duc ira au théâtre demain.   [*Il les regarde.*]   Il faut que tout soit prêt, Dora.

DORA, *d'une voix sourde.*   Oui.

Elle sort lentement.

KALIAYEV, *la regarde sortir et d'une voix douce, se tournant vers Stepan.*   Je le tuerai.   Avec joie!

Rideau.

ACTE DEUXIEME

Le lendemain soir. Même lieu.
Annenkov est à la fenêtre. Dora près de la table.

ANNENKOV. Ils sont en place. Stepan a allumé sa cigarette.

DORA. A quelle heure le grand-duc doit-il passer?

ANNENKOV. D'un moment à l'autre. Ecoute. N'est-ce pas une calèche? Non.

DORA. Assieds-toi. Sois patient.

ANNENKOV. Et les bombes?

DORA. Assieds-toi. Nous ne pouvons plus rien faire.

ANNENKOV. Si. Les envier.

DORA. Ta place est ici. Tu es le chef.

ANNENKOV. Je suis le chef. Mais Yanek vaut mieux que moi et c'est lui qui, peut-être...

DORA. Le risque est le même pour tous. Celui qui lance et celui qui ne lance pas.

ANNENKOV. Le risque est finalement le même. Mais pour le moment, Yanek et Alexis sont sur la ligne de feu. Je sais que je ne dois pas être avec eux. Quelquefois, pourtant, j'ai peur de consentir trop facilement à mon rôle. C'est commode, après tout, d'être forcé de ne pas lancer la bombe.

DORA. Et quand cela serait? L'essentiel est que tu fasses ce qu'il faut, et jusqu'au bout.

ANNENKOV. Comme tu es calme!

DORA. Je ne suis pas calme: j'ai peur. Voilà trois ans que je suis avec vous, deux ans que je fabrique les bombes. J'ai tout exécuté et je crois que je n'ai rien oublié.

ANNENKOV.   Bien sûr, Dora.

DORA.   Eh bien, voilà trois ans que j'ai peur, de cette peur qui vous quitte à peine avec le sommeil, et qu'on retrouve toute fraîche au matin.   Alors il a fallu que je m'habitue. J'ai appris à être calme au moment où j'ai le plus peur.   Il n'y a pas de quoi être fière.

ANNENKOV.   Sois fière, au contraire.   Moi, je n'ai rien dominé.   Sais-tu que je regrette les jours d'autrefois, la vie brillante, les femmes... Oui, j'aimais les femmes, le vin, ces nuits qui n'en finissaient pas.

DORA.   Je m'en doutais, Boria.   C'est pourquoi je t'aime tant.   Ton cœur n'est pas mort.   Même s'il désire encore le plaisir, cela vaut mieux que cet affreux silence qui s'installe, parfois, à la place même du cri.*

ANNENKOV.   Que dis-tu là? Toi?   Ce n'est pas possible?

DORA.   Ecoute.

Dora se dresse brusquement.   Un bruit de calèche, puis le silence.

DORA.   Non.   Ce n'est pas lui.   Mon cœur bat.   Tu vois, je n'ai encore rien appris.

ANNENKOV, *il va à la fenêtre.*   Attention.   Stepan fait un signe.   C'est lui.

On entend en effet un roulement lointain de calèche, qui se rapproche de plus en plus, passe sous les fenêtres et commence à s'éloigner.   Long silence.

ANNENKOV.   Dans quelques secondes...

Ils écoutent.

ANNENKOV.   Comme c'est long.

Dora fait un geste.   Long silence.   On entend des cloches, au loin.

ANNENKOV.   Ce n'est pas possible.   Yanek aurait déjà lancé sa bombe... la calèche doit être arrivée au théâtre.   Et

Alexis? Regarde! Stepan revient sur ses pas et court vers le théâtre.

DORA, *se jetant sur lui.* Yanek est arrêté. Il est arrêté, c'est sûr. Il faut faire quelque chose.

ANNENKOV. Attends. [*Il écoute.*] Non. C'est fini.

DORA. Comment est-ce arrivé? Yanek, arrêté sans avoir rien fait! Il était prêt à tout, je le sais. Il voulait la prison, et le procès. Mais après avoir tué le grand-duc! Pas ainsi, non, pas ainsi!

ANNENKOV, *regardant au dehors.* Voinov! Vite!

> *Dora va ouvrir. Entre Voinov, le visage décomposé.*

ANNENKOV. Alexis, vite, parle.

VOINOV. Je ne sais rien. J'attendais la première bombe. J'ai vu la voiture prendre le tournant et rien ne s'est passé. J'ai perdu la tête. J'ai cru qu'au dernier moment, tu avais changé nos plans, j'ai hésité. Et puis, j'ai couru jusqu'ici...

ANNENKOV. Et Yanek?

VOINOV. Je ne l'ai pas vu.

DORA. Il est arrêté.

ANNENKOV, *regardant toujours dehors.* Le voilà!

Même jeu de scène. Entre Kaliayev, le visage couvert de larmes.

KALIAYEV, *dans l'égarement.* Frères, pardonnez-moi. Je n'ai pas pu.

> *Dora va vers lui et lui prend la main.*

DORA. Ce n'est rien.

ANNENKOV. Que s'est-il passé?

DORA, *à Kaliayev.* Ce n'est rien. Quelquefois, au dernier moment, tout s'écroule.

ANNENKOV. Mais ce n'est pas possible.

DORA. Laisse-le. Tu n'es pas le seul, Yanek. Schweitzer, non plus, la première fois, n'a pas pu.

ANNENKOV.   Yanek, tu as eu peur?

KALIAYEV, *sursautant.*   Peur, non.   Tu n'as pas le droit!

On frappe le signal convenu.   Voinov sort sur un signe d'Annenkov.   Kaliayev est prostré.   Silence.   Entre Stepan.

ANNENKOV.   Alors?

STEPAN.   Il y avait des enfants dans la calèche du grand-duc.

ANNENKOV.   Des enfants?

STEPAN.   Oui.   Le neveu et la nièce du grand-duc.

ANNENKOV.   Le grand-duc devait être seul, selon Orlov.

STEPAN.   Il y avait aussi la grande-duchesse.   Cela faisait trop de monde, je suppose, pour notre poète.   Par bonheur, les mouchards n'ont rien vu.

Annenkov parle à voix basse à Stepan.   Tous regardent Kaliayev qui lève les yeux vers Stepan.

KALIAYEV, *égaré.*   Je ne pouvais pas prévoir... Des enfants, des enfants surtout.   As-tu regardé des enfants?   Ce regard grave qu'ils ont parfois...   Je n'ai jamais pu soutenir ce regard...   Une seconde auparavant, pourtant, dans l'ombre, au coin de la petite place, j'étais heureux.   Quand les lanternes de la calèche ont commencé à briller au loin, mon cœur s'est mis à battre de joie, je te le jure.   Il battait de plus en plus fort à mesure que le roulement de la calèche grandissait.   Il faisait tant de bruit en moi.   J'avais envie de bondir.   Je crois que je riais.   Et je disais « oui, oui »...   Tu comprends?

Il quitte Stepan du regard et reprend son attitude affaissée.

J'ai couru vers elle.   C'est à ce moment que je les ai vus. Ils ne riaient pas, eux.   Ils se tenaient tout droits et regardaient dans le vide.   Comme ils avaient l'air triste!   Perdus dans leurs habits de parade, les mains sur les cuisses, le buste raide de chaque côté de la portière!   Je n'ai pas vu la grande-duchesse.   Je n'ai vu qu'eux.   S'ils m'avaient regardé, je

crois que j'aurais lancé la bombe.   Pour éteindre au moins ce
regard triste.   Mais ils regardaient toujours devant eux.

Il lève les yeux vers les autres.   Silence.   Plus bas encore.

Alors, je ne sais pas ce qui s'est passé.   Mon bras est devenu
faible.   Mes jambes tremblaient.   Une seconde après, il était
trop tard.   [*Silence.   Il regarde à terre.*]   Dora, ai-je rêvé, il
m'a semblé que les cloches sonnaient à ce moment-là?

DORA.   Non, Yanek, tu n'as pas rêvé.

*Elle pose la main sur son bras.   Kaliayev relève la tête et les voit
tous tournés vers lui.   Il se lève.*

KALIAYEV.   Regardez-moi, frères, regarde-moi, Boria, je
ne suis pas un lâche, je n'ai pas reculé.   Je ne les attendais pas.
Tout s'est passé trop vite.   Ces deux petits visages sérieux et
dans ma main, ce poids terrible.   C'est sur eux qu'il fallait le
lancer.   Ainsi.   Tout droit.   Oh, non!   Je n'ai pas pu.*

Il tourne son regard de l'un à l'autre.

Autrefois, quand je conduisais la voiture, chez nous, en
Ukraine, j'allais comme le vent, je n'avais peur de rien.   De
rien au monde, sinon de renverser un enfant.   J'imaginais le
choc, cette tête frêle frappant la route, à la volée...

Il se tait.

Aidez-moi...

Silence.

Je voulais me tuer.   Je suis revenu parce que je pensais que
je vous devais des comptes, que vous étiez mes seuls juges,
que vous me diriez si j'avais tort ou raison, que vous ne
pouviez pas vous tromper.   Mais vous ne dites rien.

*Dora se rapproche de lui, à le toucher.   Il les regarde, et, d'une
voix morne :*

Voilà ce que je propose.   Si vous décidez qu'il faut tuer ces
enfants, j'attendrai la sortie du théâtre et je lancerai seul la
bombe sur la calèche.   Je sais que je ne manquerai pas mon
but.   Décidez seulement, j'obéirai à l'Organisation.

STEPAN. L'organisation t'avait commandé de tuer le grand-duc.

KALIAYEV. C'est vrai. Mais elle ne m'avait pas demandé d'assassiner des enfants.

ANNENKOV. Yanek a raison. Ceci n'était pas prévu.

STEPAN. Il devait obéir.

ANNENKOV. Je suis le responsable. Il fallait que tout fût prévu et que personne ne pût hésiter sur ce qu'il y avait à faire. Il faut seulement décider si nous laissons échapper définitivement cette occasion ou si nous ordonnons à Yanek d'attendre la sortie du théâtre. Alexis?

VOINOV. Je ne sais pas. Je crois que j'aurais fait comme Yanek. Mais je ne suis pas sûr de moi. [*Plus bas.*] Mes mains tremblent.

ANNENKOV. Dora?

DORA, *avec violence*. J'aurais reculé, comme Yanek. Puis-je conseiller aux autres ce que moi-même je ne pourrais pas faire.

STEPAN. Est-ce que vous vous rendez compte de ce que signifie cette décision? Deux mois de filatures, de terribles dangers courus et évités, deux mois perdus à jamais. Egor arrêté pour rien. Rikov pendu pour rien. Et il faudrait recommencer? Encore de longues semaines de veilles et de ruses, de tension incessante, avant de retrouver l'occasion propice? Etes-vous fous?

ANNENKOV. Dans deux jours, le grand-duc retournera au théâtre, tu le sais bien.

STEPAN. Deux jours où nous risquons d'être pris, tu l'as dit toi-même.

KALIAYEV. Je pars.

DORA. Attends! [*A Stepan.*] Pourrais-tu, toi, Stepan, les yeux ouverts, tirer à bout portant sur un enfant?

STEPAN.   Je le pourrais si l'Organisation le commandait.

DORA.   Pourquoi fermes-tu les yeux?

STEPAN.   Moi? J'ai fermé les yeux?

DORA.   Oui.

STEPAN.   Alors, c'était pour mieux imaginer la scène et répondre en connaissance de cause.

DORA.   Ouvre les yeux et comprends que l'Organisation perdrait ses pouvoirs et son influence si elle tolérait, un seul moment, que des enfants fussent broyés par nos bombes.

STEPAN.   Je n'ai pas assez de cœur pour ces niaiseries. Quand nous nous déciderons à oublier les enfants, ce jour-là, nous serons les maîtres du monde et la révolution triomphera.

DORA.   Ce jour-là, la révolution sera haïe de l'humanité entière.

STEPAN.   Qu'importe si nous l'aimons assez fort pour l'imposer à l'humanité entière et la sauver d'elle-même et de son esclavage.

DORA.   Et si l'humanité entière rejette la révolution? Et si le peuple entier, pour qui tu luttes, refuse que ses enfants soient tués? Faudra-t-il le frapper aussi?

STEPAN.   Oui, s'il le faut, et jusqu'à ce qu'il comprenne. Moi aussi, j'aime le peuple.

DORA.   L'amour n'a pas ce visage.

STEPAN.   Qui le dit?

DORA.   Moi, Dora.

STEPAN.   Tu es une femme et tu as une idée malheureuse de l'amour.

DORA, *avec violence*.   Mais j'ai une idée juste de ce qu'est la honte.

STEPAN.   J'ai eu honte de moi-même, une seule fois, et par la faute des autres.   Quand on m'a donné le fouet.   Car on m'a donné le fouet.   Le fouet, savez-vous ce qu'il est?   Véra était près de moi et elle s'est suicidée par protestation.   Moi, j'ai vécu.   De quoi aurais-je honte, maintenant?

ANNENKOV.   Stepan, tout le monde ici t'aime et te respecte. Mais quelles que soient tes raisons, je ne puis te laisser dire que tout est permis.   Des centaines de nos frères sont morts pour qu'on sache que tout n'est pas permis.

STEPAN.   Rien n'est défendu de ce qui peut servir notre cause.

ANNENKOV, *avec colère*.   Est-il permis de rentrer dans la police et de jouer sur deux tableaux,* comme le proposait Evno?   Le ferais-tu?

STEPAN.   Oui, s'il le fallait.

ANNENKOV, *se levant*.   Stepan, nous oublierons ce que tu viens de dire, en considération de ce que tu as fait pour nous et avec nous.   Souviens-toi seulement de ceci.   Il s'agit de savoir si, tout à l'heure, nous lancerons des bombes contre ces deux enfants.

STEPAN.   Des enfants!   Vous n'avez que ce mot à la bouche.   Ne comprenez-vous donc rien?   Parce que Yanek n'a pas tué ces deux-là, des milliers d'enfants russes mourront de faim pendant des années encore.   Avez-vous vu des enfants mourir de faim?   Moi, oui.   Et la mort par la bombe est un enchantement à côté de cette mort-là.   Mais Yanek ne les a pas vus.   Il n'a vu que les deux chiens savants du grand-duc.   N'êtes-vous donc pas des hommes?   Vivez-vous dans le seul instant?   Alors choisissez la charité et guérissez seulement le mal de chaque jour, non la révolution qui veut guérir tous les maux, présents et à venir.

DORA. Yanek accepte de tuer le grand-duc puisque sa mort peut avancer le temps où les enfants russes ne mourront plus de faim. Cela déjà n'est pas facile. Mais la mort des neveux du grand-duc n'empêchera aucun enfant de mourir de faim. Même dans la destruction, il y a un ordre, il y a des limites.

STEPAN, *violemment*. Il n'y a pas de limites. La vérité est que vous ne croyez pas à la révolution. [*Tous se lèvent, sauf Yanek.*] Vous n'y croyez pas. Si vous y croyiez totalement, complètement, si vous étiez sûrs que par nos sacrifices et nos victoires, nous arriverons à bâtir une Russie libérée du despotisme, une terre de liberté qui finira par recouvrir le monde entier, si vous ne doutiez pas qu'alors, l'homme, libéré de ses maîtres et de ses préjugés, lèvera vers le ciel la face des vrais dieux, que pèserait la mort de deux enfants ? Vous vous reconnaîtriez tous les droits, tous, vous m'entendez. Et si cette mort vous arrête, c'est que vous n'êtes pas sûrs d'être dans votre droit. Vous ne croyez pas à la révolution.

Silence. Kaliayev se lève.

KALIAYEV. Stepan, j'ai honte de moi et pourtant je ne te laisserai pas continuer. J'ai accepté de tuer pour renverser le despotisme. Mais derrière ce que tu dis, je vois s'annoncer un despotisme qui, s'il s'installe jamais, fera de moi un assassin alors que j'essaie d'être un justicier.

STEPAN. Qu'importe que tu ne sois pas un justicier, si justice est faite, même par des assassins ? Toi et moi, ne sommes rien.

KALIAYEV. Nous sommes quelque chose et tu le sais bien puisque c'est au nom de ton orgueil que tu parles encore aujourd'hui.

STEPAN. Mon orgueil ne regarde que moi. Mais l'orgueil des hommes, leur révolte, l'injustice où ils vivent, cela, c'est notre affaire à tous.

KALIAYEV. Les hommes ne vivent pas que de justice.

STEPAN. Quand on leur vole le pain, de quoi vivraient-ils donc, sinon de justice?

KALIAYEV. De justice et d'innocence.

STEPAN. L'innocence? Je la connais peut-être.* Mais j'ai choisi de l'ignorer et de la faire ignorer à des milliers d'hommes pour qu'elle prenne un jour un sens plus grand.

KALIAYEV. Il faut être bien sûr que ce jour arrive pour nier tout ce qui fait qu'un homme consente à vivre.*

STEPAN. J'en suis sûr.

KALIAYEV. Tu ne peux pas l'être. Pour savoir qui, de toi ou de moi, a raison, il faudra peut-être le sacrifice de trois générations, plusieurs guerres, de terribles révolutions. Quand cette pluie de sang aura séché sur la terre, toi et moi serons mêlés depuis longtemps à la poussière.

STEPAN. D'autres viendront alors, et je les salue comme mes frères.

KALIAYEV, *criant*. D'autres... Oui! Mais moi, j'aime ceux qui vivent aujourd'hui sur la même terre que moi, et c'est eux que je salue. C'est pour eux que je lutte et que je consens à mourir. Et pour une cité lointaine, dont je ne suis pas sûr, je n'irai pas frapper le visage de mes frères.* Je n'irai pas ajouter à l'injustice vivante pour une justice morte. [*Plus bas, mais fermement.*] Frères, je veux vous parler franchement et vous dire au moins ceci que pourrait dire le plus simple de nos paysans : tuer des enfants est contraire à l'honneur. Et, si un jour, moi vivant, la révolution devait se séparer de l'honneur, je m'en détournerais. Si vous le décidez, j'irai tout à l'heure à la sortie du théâtre, mais je me jetterai sous les chevaux.

STEPAN. L'honneur est un luxe réservé à ceux qui ont des calèches.

KALIAYEV. Non. Il est la dernière richesse du pauvre. Tu le sais bien et tu sais aussi qu'il y a un honneur dans la révolution. C'est celui pour lequel nous acceptons de mourir. C'est celui qui t'a dressé un jour sous le fouet, Stepan, et qui te fait parler encore aujourd'hui.

STEPAN, *dans un cri.* Tais-toi. Je te défends de parler de cela.

KALIAYEV, *emporté.* Pourquoi me tairais-je? Je t'ai laissé dire que je ne croyais pas à la révolution. C'était me dire que j'étais capable de tuer le grand-duc pour rien, que j'étais un assassin. Je te l'ai laissé dire et je ne t'ai pas frappé.

ANNENKOV. Yanek!

STEPAN. C'est tuer pour rien, parfois, que de ne pas tuer assez.

ANNENKOV. Stepan, personne ici n'est de ton avis. La décision est prise.

STEPAN. Je m'incline donc. Mais je répéterai que la terreur ne convient pas aux délicats. Nous sommes des meurtriers et nous avons choisi de l'être.

KALIAYEV, *hors de lui.* Non. J'ai choisi de mourir pour que le meurtre ne triomphe pas. J'ai choisi d'être innocent.

ANNENKOV. Yanek et Stepan, assez! L'Organisation décide que le meurtre de ces enfants est inutile. Il faut reprendre la filature. Nous devons être prêts à recommencer dans deux jours.

STEPAN. Et si les enfants sont encore là?

KALIAYEV. Nous attendrons une nouvelle occasion.

STEPAN. Et si la grande-duchesse accompagne le grand-duc?*

KALIAYEV. Je ne l'épargnerai pas.

Annenkov. Ecoutez.

Un bruit de calèche. Kaliayev se dirige irrésistiblement vers la fenêtre. Les autres attendent. La calèche se rapproche, passe sous les fenêtres et disparaît.

Voinov, *regardant Dora, qui vient vers lui.* Recommencer, Dora...

Stepan, *avec mépris.* Oui, Alexis, recommencer... Mais il faut bien faire quelque chose pour l'honneur!

Rideau

ACTE TROISIEME

Même lieu, même heure, deux jours après.

STEPAN.   Que fait Voinov? Il devrait être là.

ANNENKOV.   Il a besoin de dormir.   Et nous avons encore une demi-heure devant nous.

STEPAN.   Je puis aller aux nouvelles.*

ANNENKOV.   Non.   Il faut limiter les risques.

Silence.

ANNENKOV.   Yanek, pourquoi ne dis-tu rien?

KALIAYEV.   Je n'ai rien à dire.   Ne t'inquiète pas.

On sonne.

KALIAYEV.   Le voilà.

Entre Voinov.

ANNENKOV.   As-tu dormi?

VOINOV.   Un peu, oui.

ANNENKOV.   As-tu dormi la nuit entière?

VOINOV.   Non.

ANNENKOV.   Il le fallait.   Il y a des moyens.

VOINOV.   J'ai essayé.   J'étais trop fatigué.

ANNENKOV.   Tes mains tremblent.

VOINOV.   Non.

Tous le regardent.

Qu'avez-vous à me regarder?   Ne peut-on être fatigué?

ANNENKOV.   On peut être fatigué.   Nous pensons à toi.

E

VOINOV, *avec une violence soudaine.*   Il fallait y penser avant-hier.   Si la bombe avait été lancée, il y deux jours, nous ne serions plus fatigués.

KALIAYEV.   Pardonne-moi, Alexis.   J'ai rendu les choses plus difficiles.

VOINOV, *plus bas.*   Qui dit cela?   Pourquoi plus difficiles? Je suis fatigué, voilà tout.

DORA.   Tout ira vite, maintenant.   Dans une heure, ce sera fini.

VOINOV.   Oui, ce sera fini.   Dans une heure...

Il regarde autour de lui.   Dora va vers lui et lui prend la main. Il abandonne sa main, puis l'arrache avec violence.

VOINOV.   Boria, je voudrais te parler.

ANNENKOV.   En particulier?

VOINOV.   En particulier.

Ils se regardent.   Kaliayev, Dora et Stepan sortent.

ANNENKOV.   Qu'y a-til?

Voinov se tait.

Dis-le moi, je t'en prie.

VOINOV.   J'ai honte, Boria.

Silence.

VOINOV.   J'ai honte.   Je dois te dire la vérité.

ANNENKOV.   Tu ne veux pas lancer la bombe?

VOINOV.   Je ne pourrai pas la lancer.

ANNENKOV.   As-tu peur?   N'est-ce que cela?   Il n'y a pas de honte.

VOINOV.   J'ai peur et j'ai honte d'avoir peur.

ANNENKOV.   Mais avant-hier, tu étais joyeux et fort. Lorsque tu es parti, tes yeux brillaient.

VOINOV. J'ai toujours eu peur. Avant-hier, j'avais rassemblé mon courage, voilà tout. Lorsque j'ai entendu la calèche rouler au loin, je me suis dit : « Allons ! Plus qu'une minute. » Je serrais les dents. Tous mes muscles étaient tendus. J'allais lancer la bombe avec autant de violence que si elle devait tuer le grand-duc sous le choc. J'attendais la première explosion pour faire éclater toute cette force accumulée en moi. Et puis, rien. La calèche est arrivée sur moi. Comme elle roulait vite ! Elle m'a dépassé. J'ai compris alors que Yanek n'avait pas lancé la bombe. A ce moment, un froid terrible m'a saisi. Et tout d'un coup, je me suis senti faible comme un enfant.

ANNENKOV. Ce n'était rien, Alexis. La vie reflue ensuite.

VOINOV. Depuis deux jours, la vie n'est pas revenue. Je t'ai menti tout à l'heure, je n'ai pas dormi cette nuit. Mon cœur battait trop fort. Oh ! Boria, je suis désespéré.

ANNENKOV. Tu ne dois pas l'être. Nous avons tous été comme toi. Tu ne lanceras pas la bombe. Un mois de repos en Finlande, et tu reviendras parmi nous.

VOINOV. Non. C'est autre chose. Si je ne lance pas la bombe maintenant, je ne la lancerai jamais.

ANNENKOV. Quoi donc ?

VOINOV. Je ne suis pas fait pour la terreur. Je le sais maintenant. Il vaut mieux que je vous quitte. Je militerai dans les comités, à la propagande.

ANNENKOV. Les risques sont les mêmes.

VOINOV. Oui, mais on peut agir en fermant les yeux. On ne sait rien.

ANNENKOV. Que veux-tu dire ?

VOINOV, avec fièvre. On ne sait rien. C'est facile d'avoir des réunions, de discuter la situation et de transmettre ensuite l'ordre d'exécution.   On risque sa vie, bien sûr, mais à tâtons, sans rien voir.   Tandis que se tenir debout, quand le soir tombe sur la ville, au milieu de la foule de ceux qui pressent le pas pour retrouver la soupe brûlante, des enfants, la chaleur d'une femme, se tenir debout et muet, avec le poids de la bombe au bout du bras, et savoir que dans trois minutes, dans deux minutes, dans quelques secondes, on s'élancera au-devant d'une calèche étincelante, voilà la terreur.   Et je sais maintenant que je ne pourrai recommencer sans me sentir vidé de mon sang.   Oui, j'ai honte.   J'ai visé trop haut.   Il faut que je travaille à ma place.   Une toute petite place.   La seule dont je sois digne.

ANNENKOV.   Il n'y a pas de petite place.   La prison et la potence sont toujours au bout.

VOINOV.   Mais on ne les voit pas comme on voit celui qu'on va tuer.   Il faut les imaginer.   Par chance, je n'ai pas d'imagination.   [*Il rit nerveusement.*]   Je ne suis jamais arrivé à croire réellement à la police secrète.   Bizarre, pour un terroriste, hein?   Au premier coup de pied dans le ventre, j'y croirai.   Pas avant.

ANNENKOV.   Et une fois en prison?   En prison, on sait et on voit.   Il n'y a plus d'oubli.

VOINOV.   En prison, il n'y a pas de décision à prendre. Oui, c'est cela, ne plus prendre de décision!   N'avoir plus à se dire : « Allons, c'est à toi, il faut que, toi, tu décides de la seconde où tu vas t'élancer. »   Je suis sûr maintenant que si je suis arrêté, je n'essaierai pas de m'évader.   Pour s'évader, il faut encore de l'invention, il faut prendre l'initiative.   Si on ne s'évade pas, ce sont les autres qui gardent l'initiative.   Ils ont tout le travail.

ANNENKOV.   Ils travaillent à vous pendre, quelquefois.

VOINOV, *avec désespoir*.   Quelquefois.   Mais il me sera moins difficile de mourir que de porter ma vie et celle d'un autre à bout de bras et de décider du moment où je précipiterai ces deux vies dans les flammes. Non, Boria, la seule façon que j'aie de me racheter, c'est d'accepter ce que je suis.

Annenkov se tait.

Même les lâches peuvent servir la révolution. Il suffit de trouver leur place.

ANNENKOV. Alors, nous sommes tous des lâches. Mais nous n'avons pas toujours l'occasion de le vérifier. Tu feras ce que tu voudras.

VOINOV. Je préfère partir tout de suite. Il me semble que je ne pourrais pas les regarder en face. Mais tu leur parleras.

ANNENKOV. Je leur parlerai.

Il avance vers lui.

VOINOV. Dis à Yanek que ce n'est pas de sa faute. Et que je l'aime, comme je vous aime tous.

Silence. Annenkov l'embrasse.

ANNENKOV. Adieu, frère. Tout finira. La Russie sera heureuse.

VOINOV, *s'enfuyant.* Oh, oui. Qu'elle soit heureuse! Qu'elle soit heureuse!

Annenkov va à la porte.

ANNENKOV. Venez.

Tous entrent avec Dora.

STEPAN. Qu'y a-t-il?

ANNENKOV. Voinov ne lancera pas la bombe. Il est épuisé. Ce ne serait pas sûr.

KALIAYEV. C'est de ma faute, n'est-ce pas, Boria?

ANNENKOV. Il te fait dire qu'il t'aime.

KALIAYEV. Le reverrons-nous?

ANNENKOV. Peut-être. En attendant, il nous quitte.

STEPAN. Pourquoi?

ANNENKOV. Il sera plus utile dans les Comités.

STEPAN. L'a-t-il demandé? Il a donc peur?

ANNENKOV. Non. J'ai décidé de tout.

STEPAN. A une heure de l'attentat, tu nous prives d'un homme?

ANNENKOV. A une heure de l'attentat, il m'a fallu décider seul. Il est trop tard pour discuter. Je prendrai la place de Voinov.

STEPAN. Ceci me revient de droit.

KALIAYEV, *à Annenkov*. Tu es le chef. Ton devoir est de rester ici.

ANNENKOV. Un chef a quelquefois le devoir d'être lâche. Mais à condition qu'il éprouve sa fermeté, à l'occasion. Ma décision est prise. Stepan, tu me remplaceras pendant le temps qu'il faudra. Viens, tu dois connaître les instructions.

Ils sortent. Kaliayev va s'asseoir. Dora va vers lui et tend une main. Mais elle se ravise.

DORA. Ce n'est pas de ta faute.

KALIAYEV. Je lui ai fait du mal, beaucoup de mal. Sais-tu ce qu'il me disait l'autre jour?

DORA. Il répétait sans cesse qu'il était heureux.

KALIAYEV. Oui, mais il m'a dit qu'il n'y avait pas de bonheur pour lui, hors de notre communauté. « Il y a nous, disait-il, l'Organisation. Et puis, il n'y a rien. C'est une chevalerie. » Quelle pitié, Dora!

DORA. Il reviendra.

KALIAYEV. Non. J'imagine ce que je ressentirais à sa place. Je serais désespéré.

DORA. Et maintenant, ne l'es-tu pas?

KALIAYEV, *avec tristesse.* Maintenant? Je suis avec vous et je suis heureux comme il l'était.

DORA, *lentement.* C'est un grand bonheur.

KALIAYEV. C'est un bien grand bonheur. Ne penses-tu pas comme moi?

DORA. Je pense comme toi. Alors pourquoi es-tu triste? Il y a deux jours ton visage resplendissait. Tu semblais marcher vers une grande fête. Aujourd'hui...

KALIAYEV, *se levant, dans une grande agitation.* Aujourd'hui, je sais ce que je ne savais pas. Tu avais raison, ce n'est pas si simple. Je croyais que c'était facile de tuer, que l'idée suffisait, et le courage. Mais je ne suis pas si grand et je sais maintenant qu'il n'y a pas de bonheur dans la haine.* Tout ce mal, tout ce mal, en moi et chez les autres. Le meurtre, la lâcheté, l'injustice... Oh il faut, il faut que je le tue... Mais j'irai jusqu'au bout! Plus loin que la haine!

DORA. Plus loin? Il n'y a rien.

KALIAYEV. Il y a l'amour.

DORA. L'amour? Non, ce n'est pas ce qu'il faut.

KALIAYEV. Oh Dora, comment dis-tu cela, toi dont je connais le cœur...

DORA. Il y a trop de sang, trop de dure violence. Ceux qui aiment vraiment la justice n'ont pas droit à l'amour. Ils sont dressés comme je suis, la tête levée, les yeux fixes. Que viendrait faire l'amour dans ces cœurs fiers? L'amour courbe doucement les têtes, Yanek. Nous, nous avons la nuque raide.

KALIAYEV. Mais nous aimons notre peuple.

DORA. Nous l'aimons, c'est vrai. Nous l'aimons d'un vaste amour sans appui, d'un amour malheureux. Nous vivons loin de lui, enfermés dans nos chambres, perdus dans nos pensées. Et le peuple, lui, nous aime-t-il? Sait-il que nous l'aimons? Le peuple se tait. Quel silence, quel silence...

KALIAYEV. Mais c'est cela l'amour, tout donner, tout sacrifier sans espoir de retour.

DORA. Peut-être. C'est l'amour absolu, la joie pure et solitaire, c'est celui qui me brûle en effet. A certaines heures, pourtant, je me demande si l'amour n'est pas autre chose, s'il peut cesser d'être un monologue, et s'il n'y a pas une réponse, quelquefois. J'imagine cela, vois-tu : le soleil brille, les têtes se courbent doucement, le cœur quitte sa fierté, les bras s'ouvrent. Ah! Yanek, si l'on pouvait oublier, ne fût-ce qu'une heure, l'atroce misère de ce monde et se laisser aller enfin. Une seule petite heure d'égoïsme, peux-tu penser à cela?

KALIAYEV. Oui, Dora, cela s'appelle la tendresse.

DORA. Tu devines tout, mon chéri, cela s'appelle la tendresse. Mais la connais-tu vraiment? Est-ce que tu aimes la justice avec tendresse?

Kaliayev se tait.

Est-ce que tu aimes notre peuple avec cet abandon et cette douceur, ou, au contraire, avec la flamme de la vengeance et de la révolte? [*Kaliayev se tait toujours.*] Tu vois. [*Elle va vers lui, et d'un ton très faible.*] Et moi, m'aimes-tu avec tendresse?

Kaliayev la regarde.

KALIAYEV, *après un silence*. Personne ne t'aimera jamais comme je t'aime.

DORA. Je sais. Mais ne vaut-il pas mieux aimer comme tout le monde?

KALIAYEV. Je ne suis pas n'importe qui. Je t'aime comme je suis.

DORA. Tu m'aimes plus que la justice, plus que l'Organisation?

KALIAYEV. Je ne vous sépare pas, toi, l'Organisation et la justice.

DORA. Oui, mais réponds-moi, je t'en supplie, réponds-moi. M'aimes-tu dans la solitude, avec tendresse, avec égoïsme? M'aimerais-tu si j'étais injuste?

KALIAYEV. Si tu étais injuste, et que je puisse t'aimer, ce n'est pas toi que j'aimerais.

DORA. Tu ne réponds pas. Dis-moi seulement, m'aimerais-tu si je n'étais pas dans l'Organisation?

KALIAYEV. Où serais-tu donc?

DORA. Je me souviens du temps où j'étudiais. Je riais. J'étais belle alors. Je passais des heures à me promener at à rêver. M'aimerais-tu légère et insouciante?

KALIAYEV, *il hésite et très bas.* Je meurs d'envie de te dire oui.

DORA, *dans un cri.* Alors, dis oui, mon chéri, si tu le penses et si cela est vrai. Oui, en face de la justice, devant la misère et le peuple enchaîné. Oui, oui, je t'en supplie, malgré l'agonie des enfants, malgré ceux qu'on pend et ceux qu'on fouette à mort…

KALIAYEV. Tais-toi, Dora.

DORA. Non, il faut bien une fois au moins laisser parler son cœur. J'attends que tu m'appelles, moi, Dora, que tu m'appelles pardessus ce monde empoisonné d'injustice…

KALIAYEV, *brutalement.* Tais-toi. Mon cœur ne me parle que de toi. Mais tout à l'heure, je ne devrai pas trembler.

DORA, *égarée.* Tout à l'heure? Oui, j'oubliais… [*Elle rit comme si elle pleurait.*] Non, c'est très bien, mon chéri. Ne sois pas fâché, je n'étais pas raisonnable. C'est la fatigue.

Moi non plus, je n'aurais pas pu le dire. Je t'aime du même amour un peu fixe, dans la justice et les prisons. L'été, Yanek, tu te souviens? Mais, non, c'est l'éternel hiver. Nous ne sommes pas de ce monde, nous sommes des justes. Il y a une chaleur qui n'est pas pour nous. [*Se détournant.*] Ah! pitié pour les justes!

KALIAYEV, *la regardant avec désespoir.* Oui, c'est là notre part, l'amour est impossible. Mais je tuerai le grand-duc, et il y aura alors une paix, pour toi comme pour moi.

DORA. La paix! Quand la trouverons-nous?

KALIAYEV, *avec violence.* Le lendemain.

Entrent Annenkov et Stepan. Dora et Kaliayev s'éloignent l'un de l'autre.

ANNENKOV. Yanek!

KALIAYEV. Tout de suite. [*Il respire profondément.*] Enfin, enfin...

STEPAN, *venant vers lui.* Adieu, frère, je suis avec toi.

KALIAYEV. Adieu, Stepan. [*Il se tourne vers Dora.*] Adieu, Dora.

Dora va vers lui. Ils sont tout près l'un de l'autre, mais ne se toucheront pas.

DORA. Non, pas adieu. Au revoir. Au revoir, mon chéri. Nous nous retrouverons.

Il la regarde. Silence.

KALIAYEV. Au revoir. Je... La Russie sera belle.

DORA, *dans les larmes.* La Russie sera belle.

Kaliayev se signe devant l'icône. Il sort avec Annenkov. Stepan va à la fenêtre. Dora ne bouge pas, regardant toujours la porte.

STEPAN. Comme il marche droit. J'avais tort, tu vois, de ne pas me fier à Yanek. Je n'aimais pas son enthousiasme. Il s'est signé, tu as vu? Est-il croyant?

Dora.   Il ne pratique pas.

Stepan.   Il a l'âme religieuse, pourtant.   C'est cela qui
nous séparait.   Je suis plus âpre que lui, je le sais bien.   Pour
nous qui ne croyons pas à Dieu, il faut toute la justice ou c'est
le désespoir.

Dora.   Pour lui, la justice elle-même est désespérante.

Stepan.   Oui, une âme faible.   Mais la main est forte.   Il
vaut mieux que son âme.   Il le tuera, c'est sûr.   Cela est bien,
très bien même.   Détruire, c'est ce qu'il faut.   Mais tu ne
dis rien? [*Il l'examine.*]   Tu l'aimes?

Dora.   Il faut du temps pour aimer.   Nous avons à peine
assez de temps pour la justice.

Stepan.   Tu as raison.   Il y a trop à faire; il faut ruiner ce
monde de fond en comble...   Ensuite... [*A la fenêtre.*]   Je
ne les vois plus, ils sont arrivés.

Dora.   Ensuite...

Stepan.   Nous nous aimerons.

Dora.   Si nous sommes là.

Stepan.   D'autres s'aimeront.   Cela revient au même.

Dora.   Stepan, dis « la haine »?

Stepan.   Comment?

Dora.   Ces deux mots, « la haine », prononce-les.

Stepan.   La haine.

Dora.   C'est bien.   Yanek les prononçait très mal.

Stepan, *après un silence, et marchant vers elle.*   Je comprends :
tu me méprises.   Es-tu sûre d'avoir raison, pourtant? [*Un
silence, et avec une violence croissante.*]   Vous êtes tous là à
marchander ce que vous faites, au nom de l'ignoble amour.
Mais, moi, je n'aime rien et je hais, oui, je hais mes semblables!
Qu'ai-je à faire avec leur amour?   Je l'ai connu au bagne,

voici trois ans.   Et depuis trois ans, je le porte sur moi.   Tu voudrais que je m'attendrisse et que je traîne la bombe comme une croix?   Non!   Non!   Je suis allé trop loin, je sais trop de choses…   Regarde…

Il déchire sa chemise.   Dora a un geste vers lui.   Elle recule devant les marques du fouet.

Ce sont les marques!   Les marques de leur amour!   Me méprises-tu maintenant?

Elle va vers lui et l'embrasse brusquement.

DORA.   Qui mépriserait la douleur?   Je t'aime aussi.

STEPAN, *il la regarde et sourdement.*   Pardonne-moi, Dora. [*Un temps.   Il se détourne.*]   Peut-être est-ce la fatigue.   Des années de lutte, l'angoisse, les mouchards, le bagne… et pour finir, ceci.   [*Il montre les marques.*]   Où trouverais-je la force d'aimer?   Il me reste au moins celle de haïr.   Cela vaut mieux que de ne rien sentir.

DORA.   Oui, cela vaut mieux.

Il la regarde.   Sept heures sonnent.

STEPAN, *se retournant brusquement.*   Le grand-duc va passer.

Dora va vers la fenêtre et se colle aux vitres.   Long silence.   Et puis, dans le lointain, la calèche.   Elle se rapproche, elle passe.

STEPAN.   S'il est seul…

La calèche s'éloigne.   Une terrible explosion.   Soubresaut de Dora qui cache sa tête dans ses mains.   Long silence.

STEPAN.   Boria n'a pas lancé sa bombe! Yanek a réussi. Réussi!   O peuple!   O joie!

DORA, *s'abattant en larmes sur lui.*   C'est nous qui l'avons tué!   C'est nous qui l'avons tué!   C'est moi.

STEPAN, *criant.*   Qui avons-nous tué?   Yanek?

DORA.   Le grand-duc.

Rideau

ACTE QUATRIEME

Une cellule dans La Tour Pougatchev à la prison Boutirki. Le matin.

Quand le rideau se lève, Kaliayev est dans sa cellule et regarde la porte. Un gardien et un prisonnier, portant un seau, entrent.

LE GARDIEN. Nettoie. Et fais vite.

Il va se placer vers la fenêtre. Foka commence à nettoyer sans regarder Kaliayev. Silence.

KALIAYEV. Comment t'appelles-tu, frère?

FOKA. Foka.

KALIAYEV. Tu es condamné?

FOKA. Il paraît.

KALIAYEV. Qu'as-tu fait?

FOKA. J'ai tué.

KALIAYEV. Tu avais faim.

LE GARDIEN. Moins haut.

KALIAYEV. Comment?

LE GARDIEN. Moins haut. Je vous laisse parler malgré la consigne. Alors, parle moins haut. Imite le vieux.

KALIAYEV. Tu avais faim?

FOKA. Non, j'avais soif.

KALIAYEV. Alors?

FOKA. Alors, il y avait une hache. J'ai tout démoli. Il paraît que j'en ai tué trois.

Kaliayev le regarde.

FOKA.   Eh bien, barine,* tu ne m'appelles plus frère?   Tu es refroidi?

KALIAYEV.   Non.   J'ai tué moi aussi.

FOKA.   Combien?

KALIAYEV.   Je te le dirai, frère, si tu veux.   Mais réponds-moi, tu regrettes ce qui s'est passé, n'est-ce pas?

FOKA.   Bien sûr, vingt ans, c'est cher.   Ça vous laisse des regrets.

KALIAYEV.   Vingt ans.   J'entre ici à vingt-trois ans et j'en sors les cheveux gris.

FOKA.   Oh!   Ça ira peut-être mieux pour toi.   Un juge, ça a des hauts et des bas.   Ça dépend s'il est marié, et avec qui. Et puis, tu es barine.   Ce n'est pas le même tarif que pour les pauvres diables.   Tu t'en tireras.

KALIAYEV.   Je ne crois pas.   Et je ne le veux pas.   Je ne pourrais pas supporter la honte pendant vingt ans.

FOKA.   La honte?   Quelle honte?   Enfin, ce sont des idées de barine.   Combien en as-tu tué?

KALIAYEV.   Un seul.

FOKA.   Que disais-tu?   Ce n'est rien.

KALIAYEV.   J'ai tué le grand-duc Serge.

FOKA.   Le grand-duc?   Eh! comme tu y vas.   Voyez-vous ces barines!   C'est grave, dis-moi?

KALIAYEV.   C'est grave.   Mais il le fallait.

FOKA.   Pourquoi?   Tu vivais à la cour?   Une histoire de femme, non?   Bien fait comme tu l'es…

KALIAYEV.   Je suis socialiste.

LE GARDIEN.   Moins haut.

KALIAYEV, *plus haut.*   Je suis socialiste révolutionnaire.

FOKA. En voilà une histoire. Et qu'avais-tu besoin d'être comme tu dis. Tu n'avais qu'à rester tranquille et tout allait pour le mieux. La terre est faite pour les barines.

KALIAYEV. Non, elle est faite pour toi. Il y a trop de misère et trop de crimes. Quand il y aura moins de misère, il y aura moins de crimes. Si la terre était libre, tu ne serais pas là.

FOKA. Oui et non. Enfin, libre ou pas, ce n'est jamais bon de boire un coup de trop.

KALIAYEV. Ce n'est jamais bon. Seulement on boit parce qu'on est humilié. Un temps viendra où il ne sera plus utile de boire, où personne n'aura plus honte, ni barine, ni pauvre diable. Nous serons tous frères et la justice rendra nos cœurs transparents. Sais-tu ce dont je parle?

FOKA. Oui, c'est le royaume de Dieu.

LE GARDIEN. Moins haut.

KALIAYEV. Il ne faut pas dire cela, frère. Dieu ne peut rien. La justice est notre affaire! [*Un silence.*] Tu ne comprends pas? Connais-tu la légende de Saint-Dmitri?

FOKA. Non.

KALIAYEV. Il avait rendez-vous dans le steppe avec Dieu lui-même, et il se hâtait lorsqu'il rencontra un paysan dont la voiture était embourbée. Alors saint Dmitri l'aida. La boue était épaisse, la fondrière profonde. Il fallut batailler pendant une heure. Et quand ce fut fini, saint Dmitri courut au rendez-vous. Mais Dieu n'était plus là.

FOKA. Et alors?

KALIAYEV. Et alors il y a ceux qui arriveront toujours en retard au rendez-vous parce qu'il y a trop de charrettes embourbées et trop de frères à secourir.

Foka recule.

KALIAYEV.   Qu'y a-t-il?

LE GARDIEN.   Moins haut.   Et toi, vieux, dépêche-toi.

FOKA.   Je me méfie.   Tout cela n'est pas normal.   On n'a pas idée de se faire mettre en prison pour des histoires de saint et de charrettes.   Et puis, il y a autre chose...

> *Le gardien rit.*

KALIAYEV, *le regardant.*   Quoi donc?

FOKA.   Que fait-on à ceux qui tuent les grands-ducs?

KALIAYEV.   On les pend.

FOKA.   Ah!

> *Et il s'en va, pendant que le gardien rit plus fort.*

KALIAYEV.   Reste.   Que t'ai-je fait?

FOKA.   Tu ne m'as rien fait.   Tout barine que tu es, pourtant, je ne veux pas te tromper.   On bavarde, on passe le temps, comme ça, mais si tu dois être pendu, ce n'est pas bien.

KALIAYEV.   Pourquoi?

LE GARDIEN, *riant.*   Allez, vieux, parle...

FOKA.   Parce que tu ne peux pas me parler comme un frère.   C'est moi qui pends les condamnés.

KALIAYEV.   N'es-tu pas forçat, toi aussi?

FOKA.   Justement.   Ils m'ont proposé de faire ce travail et, pour chaque pendu, ils m'enlèvent une année de prison.   C'est une bonne affaire.

KALIAYEV.   Pour te pardonner tes crimes, ils t'en font commettre d'autres?

FOKA.   Oh, ce ne sont pas des crimes, puisque c'est commandé.   Et puis, ça leur est bien égal.   Si tu veux mon avis, ils ne sont pas chrétiens.

KALIAYEV.   Et combien de fois, déjà?

FOKA.   Deux fois.

Kaliayev recule.   Les autres regagnent la porte, le gardien poussant Foka.

KALIAYEV.   Tu es donc un bourreau?

FOKA, *sur la porte.*   Eh bien, barine, et toi?

Il sort.   On entend des pas, des commandements.   Entre Skouratov, très élégant, avec le gardien.

SKOURATOV.   Laisse-nous.   Bonjour.   Vous ne me connaissez pas?   Moi, je vous connais.   [*Il rit.*]   Déjà célèbre, hein?   [*Il le regarde.*]   Puis-je me présenter?   [*Kaliayev ne dit rien.*]   Vous ne dites rien?   Je comprends.   Le secret, hein?   C'est dur, huit jours au secret.   Aujourd'hui, nous avons supprimé le secret et vous aurez des visites.   Je suis là pour ça d'ailleurs.   Je vous ai déjà envoyé Foka.   Exceptionnel, n'est-ce pas?   J'ai pensé qu'il vous intéresserait.   Etes-vous content?   C'est bon de voir des visages après huit jours, non?

KALIAYEV.   Tout dépend du visage.

SKOURATOV.   Bonne voix, bien placée.   Vous savez ce que vous voulez.   [*Un temps.*]   Si j'ai bien compris, mon visage vous déplaît?

KALIAYEV.   Oui.

SKOURATOV.   Vous m'en voyez déçu.   Mais c'est un malentendu.   L'éclairage est mauvais d'abord.   Dans un sous-sol, personne n'est sympathique.   Du reste, vous ne me connaissez pas.   Quelquefois, un visage rebute.   Et puis, quand on connaît le cœur...

KALIAYEV.   Assez.   Qui êtes-vous?

SKOURATOV.   Skouratov, directeur du département de police.

KALIAYEV.   Un valet.

F

SKOURATOV. Pour vous servir. Mais à votre place, je montrerais moins de fierté. Vous y viendrez peut-être. On commence par vouloir la justice et on finit par organiser une police. Du reste, la vérité ne m'effraie pas. Je vais être franc avec vous. Vous m'intéressez et je vous offre les moyens d'obtenir votre grâce.

KALIAYEV. Quelle grâce?

SKOURATOV. Comment quelle grâce? Je vous offre la vie sauve.

KALIAYEV. Qui vous l'a demandée?

SKOURATOV. On ne demande pas la vie, mon cher. On la reçoit. N'avez-vous jamais fait grâce à personne? [*Un temps.*] Cherchez bien.

KALIAYEV. Je refuse votre grâce, une fois pour toutes.

SKOURATOV. Ecoutez au moins. Je ne suis pas votre ennemi, malgré les apparences. J'admets que vous ayez raison dans ce que vous pensez. Sauf pour l'assassinat...

KALIAYEV. Je vous interdis d'employer ce mot.

SKOURATOV, *le regardant*. Ah! Les nerfs sont fragiles, hein? [*Un temps.*] Sincèrement, je voudrais vous aider.

KALIAYEV. M'aider? Je suis prêt à payer ce qu'il faut. Mais je ne supporterai pas cette familiarité de vous à moi. Laissez-moi.

SKOURATOV. L'accusation qui pèse sur vous...

KALIAYEV. Je rectifie.

SKOURATOV. Plaît-il?

KALIAYEV. Je rectifie. Je suis un prisonnier de guerre, non un accusé.

SKOURATOV. Si vous voulez. Cependant, il y a eu des dégâts, n'est-ce pas? Laissons de côté le grand-duc et la politique. Du moins, il y a eu mort d'homme. Et quelle mort!

KALIAYEV. J'ai lancé la bombe sur votre tyrannie, non sur un homme.

SKOURATOV. Sans doute. Mais c'est l'homme qui l'a reçue. Et ça ne l'a pas arrangé.* Voyez-vous, mon cher, quand on a retrouvé le corps, la tête manquait. Disparue la tête! Quant au reste, on a tout juste reconnu un bras et une partie de la jambe.

KALIAYEV. J'ai exécuté un verdict.

SKOURATOV. Peut-être, peut-être. On ne vous reproche pas le verdict. Qu'est-ce qu'un verdict? C'est un mot sur lequel on peut discuter pendant des nuits. On vous reproche… non, vous n'aimeriez pas ce mot… disons, un travail d'amateur, un peu désordonné, dont les résultats, eux, sont indiscutables. Tout le monde a pu les voir. Demandez à la grande-duchesse. Il y avait du sang, vous comprenez, beaucoup de sang.

KALIAYEV. Taisez-vous.

SKOURATOV. Bon. Je voulais dire simplement que si vous vous obstinez à parler du verdict, à dire que c'est le parti et lui seul qui a jugé et exécuté, que le grand-duc a été tué non par une bombe, mais par une idée, alors vous n'avez pas besoin de grâce. Supposez, pourtant, que nous en revenions à l'évidence, supposez que ce soit vous qui ayez fait sauter la tête du grand-duc, tout change, n'est-ce pas? Vous aurez besoin d'être gracié alors. Je veux vous y aider. Par pure sympathie, croyez-le. [Il sourit.] Que voulez-vous, je ne m'intéresse pas aux idées, moi, je m'intéresse aux personnes.

KALIAYEV, éclatant. Ma personne est au-dessus de vous et de vos maîtres. Vous pouvez me tuer, non me juger. Je sais où vous voulez en venir. Vous cherchez un point faible et vous attendez de moi une attitude honteuse, des larmes et du repentir. Vous n'obtiendrez rien. Ce que je suis ne vous concerne pas. Ce qui vous concerne, c'est notre haine, la mienne et celle de mes frères. Elle est à votre service.

SKOURATOV. La haine? Encore une idée. Ce qui n'est pas une idée, c'est le meurtre. Et ses conséquences, naturellement. Je veux dire le repentir et le châtiment. Là, nous sommes au centre. C'est pour cela d'ailleurs que je me suis fait policier. Pour être au centre des choses. Mais vous n'aimez pas les confidences. [*Un temps. Il avance lentement vers lui.*] Tout ce que je voulais dire, c'est que vous ne devriez pas faire semblant d'oublier la tête du grand-duc. Si vous en teniez compte, l'idée ne vous servirait plus de rien. Vous auriez honte, par exemple, au lieu d'être fier de ce que vous avez fait. Et à partir du moment où vous aurez honte, vous souhaiterez de vivre pour réparer. Le plus important est que vous décidiez de vivre.

KALIAYEV. Et si je le décidais?

SKOURATOV. La grâce pour vous et vos camarades.

KALIAYEV. Les avez-vous arrêtés?

SKOURATOV. Non. Justement. Mais si vous décidez de vivre, nous les arrêterons.

KALIAYEV. Ai-je bien compris?

SKOURATOV. Sûrement. Ne vous fâchez pas encore. Réfléchissez. Du point de vue de l'idée, vous ne pouvez pas les livrer. Du point de vue de l'évidence, au contraire, c'est un service à leur rendre. Vous leur éviterez de nouveaux ennuis et, du même coup, vous les arracherez à la potence. Par-dessus tout, vous obtenez la paix du cœur. A bien des points de vue, c'est une affaire en or.

Kaliayev se tait.

SKOURATOV. Alors?

KALIAYEV. Mes frères vous répondront, avant peu.

SKOURATOV. Encore un crime! Décidément, c'est une vocation. Allons, ma mission est terminée. Mon cœur est triste. Mais je vois bien que vous tenez à vos idées. Je ne puis vous en séparer.

KALIAYEV. Vous ne pouvez me séparer de mes frères.

SKOURATOV. Au revoir. [*Il fait mine de sortir, et, se retournant.*] Pourquoi, en ce cas, avez-vous épargné la grande-duchesse et ses neveux?

KALIAYEV. Qui vous l'a dit?

SKOURATOV. Votre informateur nous informait aussi. En partie, du moins... Mais pourquoi les avez-vous épargnés?

KALIAYEV. Ceci ne vous concerne pas.

SKOURATOV, *riant*. Vous croyez? Je vais vous dire pourquoi. Une idée peut tuer un grand-duc, mais elle arrive difficilement à tuer des enfants. Voilà ce que vous avez découvert. Alors, une question se pose : si l'idée n'arrive pas à tuer les enfants, mérite-t-elle qu'on tue un grand-duc?

Kaliayev a un geste.

SKOURATOV. Oh! Ne me répondez pas, ne me répondez pas surtout! Vous répondrez à la grande-duchesse.

KALIAYEV. La grande-duchesse?

SKOURATOV. Oui, elle veut vous voir. Et j'étais venu surtout pour m'assurer que cette conversation était possible. Elle l'est. Elle risque même de vous faire changer d'avis. La grande-duchesse est chrétienne. L'âme, voyez-vous, c'est sa spécialité. [*Il rit.*]

KALIAYEV. Je ne veux pas la voir.

SKOURATOV. Je regrette, elle y tient. Et après tout, vous lui devez quelques égards. On dit aussi que depuis la mort de son mari, elle n'a pas toute sa raison. Nous n'avons pas voulu la contrarier. [*A la porte.*] Si vous changez d'avis, n'oubliez pas ma proposition. Je reviendrai. [*Un temps. Il écoute.*] La voilà. Après la police, la religion! On vous gâte décidément. Mais tout se tient. Imaginez Dieu sans les prisons. Quelle solitude!*

> *Il sort. On entend des voix et des commandements. Entre la grande-duchesse* qui reste immobile et silencieuse. La porte est ouverte.*

KALIAYEV. Que voulez-vous?

LA GRANDE-DUCHESSE, *découvrant son visage.* Regarde.

> *Kaliayev se tait.*

LA GRANDE-DUCHESSE. Beaucoup de choses meurent avec un homme.

KALIAYEV. Je le savais.

LA GRANDE-DUCHESSE, *avec naturel, mais d'une petite voix usée.* Les meurtriers ne savent pas cela. S'ils le savaient, comment feraient-ils mourir?

> *Silence.*

KALIAYEV. Je vous ai vue. Je désire maintenant être seul.

LA GRANDE-DUCHESSE. Non. Il me reste à te regarder aussi.

> *Il recule.*

LA GRANDE-DUCHESSE, *s'assied, comme épuisée.* Je ne peux plus rester seule. Auparavant, si je souffrais, il pouvait voir ma souffrance. Souffrir était bon alors. Maintenant... Non, je ne pouvais plus être seule, me taire... Mais à qui parler? Les autres ne savent pas. Ils font mine d'être tristes. Ils le sont, une heure ou deux. Puis ils vont manger — et dormir. Dormir surtout... J'ai pensé que tu devais me ressembler. Tu ne dors pas, j'en suis sûre. Et à qui parler du crime, sinon au meurtrier?

KALIAYEV.   Quel crime? Je ne me souviens que d'un acte de justice.

LA GRANDE-DUCHESSE.   La même voix! Tu as eu la même voix que lui.   Tous les hommes prennent le même ton pour parler de la justice.   Il disait : « Cela est juste! » et l'on devait se taire.   Il se trompait peut-être, tu te trompes...

KALIAYEV.   Il incarnait la suprême injustice, celle qui fait gémir le peuple russe depuis des siècles.   Pour cela, il recevait seulement des privilèges.   Si même je devais me tromper, la prison et la mort sont mes salaires.

LA GRANDE-DUCHESSE.   Oui, tu souffres.   Mais lui, tu l'as tué.

KALIAYEV.   Il est mort surpris.   Une telle mort, ce n'est rien.

LA GRANDE-DUCHESSE. Rien? [*Plus bas.*] C'est vrai. On t'a emmené tout de suite. Il paraît que tu faisais des discours au milieu des policiers. Je comprends.   Cela devait t'aider.   Moi, je suis arrivée quelques secondes après. J'ai vu. J'ai mis sur une civière tout ce que je pouvais traîner.   Que de sang! [*Un temps.*] J'avais une robe blanche...

KALIAYEV.   Taisez-vous.

LA GRANDE-DUCHESSE. Pourquoi? Je dis la vérité. Sais-tu ce qu'il faisait deux heures avant de mourir? Il dormait.   Dans un fauteuil, les pieds sur une chaise... comme toujours.   Il dormait, et toi, tu l'attendais, dans le soir cruel... [*Elle pleure.*] Aide-moi maintenant.

Il recule, raidi.

LA GRANDE-DUCHESSE. Tu es jeune.   Tu ne peux pas être mauvais.

KALIAYEV.   Je n'ai pas eu le temps d'être jeune.

LA GRANDE-DUCHESSE. Pourquoi te raidir ainsi? N'as-tu jamais pitié de toi-même?

KALIAYEV. Non.

LA GRANDE-DUCHESSE. Tu as tort. Cela soulage. Moi, je n'ai plus de pitié que pour moi-même. [*Un temps.*] J'ai mal. Il fallait me tuer avec lui au lieu de m'épargner.

KALIAYEV. Ce n'est pas vous que j'ai épargnée, mais les enfants qui étaient avec vous.

LA GRANDE-DUCHESSE. Je sais... Je ne les aimais pas beaucoup. [*Un temps.*] Ce sont les neveux du grand-duc. N'étaient-ils pas coupables comme leur oncle?

KALIAYEV. Non.

LA GRANDE-DUCHESSE. Les connais-tu? Ma nièce a un mauvais cœur. Elle refuse de porter elle-même ses aumônes aux pauvres. Elle a peur de les toucher. N'est-elle pas injuste? Elle est injuste. Lui du moins aimait les paysans. Il buvait avec eux. Et tu l'as tué. Certainement, tu es injuste aussi. La terre est déserte.

KALIAYEV. Ceci est inutile. Vous essayez de détendre ma force et de me désespérer. Vous n'y réussirez pas. Laissez-moi.

LA GRANDE-DUCHESSE. Ne veux-tu pas prier avec moi, te repentir... Nous ne serons plus seuls.

KALIAYEV. Laissez-moi me préparer à mourir. Si je ne mourais pas, c'est alors que je serais un meurtrier.

LA GRANDE-DUCHESSE, *elle se dresse.* Mourir? Tu veux mourir? Non. [*Elle va vers Kaliayev, dans une grande agitation.*] Tu dois vivre, et consentir à être un meurtrier. Ne l'as-tu pas tué? Dieu te justifiera.

KALIAYEV. Quel Dieu, le mien ou le vôtre?

LA GRANDE-DUCHESSE. Celui de la Sainte Eglise.

KALIAYEV. Elle n'a rien à faire ici.

La Grande-Duchesse. Elle sert un maître qui, lui aussi, a connu la prison.

Kaliayev. Les temps ont changé. Et la Sainte Eglise a choisi dans l'héritage de son maître.

La Grande-Duchesse. Choisi, que veux-tu dire?

Kaliayev. Elle a gardé la grâce pour elle et nous a laissé le soin d'exercer la charité.

La Grande-Duchesse. Qui, nous?

Kaliayev, *criant*. Tous ceux que vous pendez.

Silence.

La Grande-Duchesse, *doucement*. Je ne suis pas votre ennemie.

Kaliayev, *avec désespoir*. Vous l'êtes, comme tous ceux de votre race et de votre clan. Il y a quelque chose de plus abject encore que d'être un criminel, c'est de forcer au crime celui qui n'est pas fait pour lui. Regardez-moi. Je vous jure que je n'étais pas fait pour tuer.

La Grande-Duchesse. Ne me parlez pas comme à votre ennemie. Regardez. [*Elle va fermer la porte.*] Je me remets à vous. [*Elle pleure.*] Le sang nous sépare. Mais vous pouvez me rejoindre en Dieu, à l'endroit même du malheur.* Priez du moins avec moi.

Kaliayev. Je refuse. [*Il va vers elle.*] Je ne sens pour vous que de la compassion et vous venez de toucher mon cœur. Maintenant, vous me comprendrez parce que je ne vous cacherai rien. Je ne compte plus sur le rendez-vous avec Dieu. Mais, en mourant, je serai exact au rendez-vous que j'ai pris avec ceux que j'aime, mes frères qui pensent à moi en ce moment. Prier serait les trahir.

La Grande-Duchesse. Que voulez-vous dire?

Kaliayev, *avec exaltation*. Rien, sinon que je vais être heureux. J'ai une longue lutte à soutenir et je la soutiendrai.

Mais quand le verdict sera prononcé, et l'exécution prête, alors, au pied de l'échafaud, je me détournerai de vous et de ce monde hideux et je me laisserai aller à l'amour qui m'emplit. Me comprenez-vous?

La Grande-Duchesse.   Il n'y a pas d'amour loin de Dieu.

Kaliayev.   Si.   L'amour pour la créature.

La Grande-Duchesse.   La créature est abjecte.   Que faire d'autre que la détruire ou lui pardonner?

Kaliayev.   Mourir avec elle.

La Grande-Duchesse.   On meurt seul.   Il est mort seul.

Kaliayev, *avec désespoir.*   Mourir avec elle! Ceux qui s'aiment aujourd'hui doivent mourir ensemble s'ils veulent être réunis.   L'injustice sépare, la honte, la douleur, le mal qu'on fait aux autres, le crime séparent.   Vivre est une torture puisque vivre sépare...

La Grande-Duchesse.   Dieu réunit.

Kaliayev.   Pas sur cette terre.   Et mes rendez-vous sont sur cette terre.

La Grande-Duchesse.   C'est le rendez-vous des chiens, le nez au sol, toujours flairant, toujours déçus.

Kaliayev, *détourné vers la fenêtre.*   Je le saurai bientôt.   [*Un temps.*] Mais ne peut-on déjà imaginer que deux êtres renonçant à toute joie, s'aiment dans la douleur sans pouvoir s'assigner d'autre rendez-vous que celui de la douleur? [*Il la regarde.*] Ne peut-on imaginer que la même corde unisse alors ces deux êtres?

La Grande-Duchesse.   Quel est ce terrible amour?

Kaliayev.   Vous et les vôtres ne nous en avez jamais permis d'autre.

La Grande-Duchesse.   J'aimais aussi celui que vous avez tué.

KALIAYEV. Je l'ai compris. C'est pourquoi je vous pardonne le mal que vous et les vôtres m'avez fait. [*Un temps.*] Maintenant, laissez-moi.

Long silence.

LA GRANDE-DUCHESSE, *se redressant.* Je vais vous laisser. Mais, je suis venue ici pour vous ramener à Dieu, je le sais maintenant. Vous voulez vous juger et vous sauver seul. Vous ne le pouvez pas. Dieu le pourra, si vous vivez. Je demanderai votre grâce.

KALIAYEV. Je vous en supplie, ne le faites pas. Laissez-moi mourir ou je vous haïrai mortellement.

LA GRANDE-DUCHESSE, *sur la porte.* Je demanderai votre grâce, aux hommes et à Dieu.

KALIAYEV. Non, non, je vous le défends.

Il court à la porte pour y trouver soudain Skouratov. Kaliayev recule, ferme les yeux. Silence. Il regarde Skouratov à nouveau.

KALIAYEV. J'avais besoin de vous.

SKOURATOV. Vous m'en voyez ravi. Pourquoi?

KALIAYEV. J'avais besoin de mépriser à nouveau.

SKOURATOV. Dommage. Je venais chercher ma réponse.

KALIAYEV. Vous l'avez maintenant.

SKOURATOV, *changeant de ton.* Non, je ne l'ai pas encore. Ecoutez bien. J'ai facilité cette entrevue avec la grande-duchesse pour pouvoir demain en publier la nouvelle dans les journaux. Le récit en sera exact, sauf sur un point. Il consignera l'aveu de votre repentir. Vos camarades penseront que vous les avez trahis.

KALIAYEV, *tranquillement.* Ils ne le croiront pas.

SKOURATOV. Je n'arrêterai cette publication que si vous passez aux aveux. Vous avez la nuit pour vous décider. [*Il remonte vers la porte.*]

KALIAYEV, *plus fort.*   Ils ne le croiront pas.

SKOURATOV, *se retournant.*   Pourquoi? N'ont-ils jamais péché?

KALIAYEV.   Vous ne connaissez pas leur amour.

SKOURATOV.   Non.   Mais je sais qu'on ne peut pas croire à la fraternité toute une nuit, sans une seule minute de défaillance. J'attendrai la défaillance. [*Il ferme la porte dans son dos.*] Ne vous pressez pas. Je suis patient.

                                Ils restent face à face.

Rideau

ACTE CINQUIEME

Un autre appartement, mais de même style.   Une semaine après.
La nuit.

Silence.   Dora se promène de long en large.

ANNENKOV.   Repose-toi, Dora.

DORA.   J'ai froid.

ANNENKOV.   Viens t'étendre ici.   Couvre-toi.

DORA, *marchant toujours.*   La nuit est longue.   Comme j'ai
froid, Boria.

On frappe.   Un coup, puis deux.   Annenkov va ouvrir.
Entrent Stepan et Voinov qui va vers Dora et l'embrasse.   Elle le
tient serré contre elle.

DORA.   Alexis!

STEPAN.   Orlov dit que ce pourrait être pour cette nuit.
Tous les sous-officiers qui ne sont pas de service sont convoqués.
C'est ainsi qu'il sera présent.

ANNENKOV.   Où le rencontres-tu?

STEPAN.   Il nous attendra, Voinov et moi, au restaurant de
la rue Sophiskaia.

DORA, *qui s'est assise, épuisée.*   C'est pour cette nuit, Boria.

ANNENKOV.   Rien n'est perdu, la décision dépend du tsar.

STEPAN.   La décision dépendra du tsar si Yanek a demandé
sa grâce.

DORA.   Il ne l'a pas demandée.

STEPAN.   Pourquoi aurait-il vu la grande-duchesse si ce
n'est pour sa grâce?   Elle a fait dire partout qu'il s'était
repenti.   Comment savoir la vérité?

DORA. Nous savons ce qu'il a dit devant le Tribunal et ce qu'il nous a écrit. Yanek a-t-il dit qu'il regrettait de ne pouvoir disposer que d'une seule vie pour la jeter comme un défi à l'autocratie? L'homme qui a dit cela peut-il mendier sa grâce, peut-il se repentir? Non, il voulait, il veut mourir. Ce qu'il a fait ne se renie pas.

STEPAN. Il a eu tort de voir la grande-duchesse.

DORA. Il en est le seul juge.

STEPAN. Selon notre règle, il ne devait pas la voir.

DORA. Notre règle est de tuer, rien de plus. Maintenant, il est libre, il est libre enfin.

STEPAN. Pas encore.

DORA. Il est libre. Il a le droit de faire ce qu'il veut, près de mourir. Car il va mourir, soyez contents!

ANNENKOV. Dora!

DORA. Mais oui. S'il était gracié, quel triomphe! Ce serait la preuve, n'est-ce pas, que la grande-duchesse a dit vrai, qu'il s'est repenti et qu'il a trahi. S'il meurt, au contraire, vous le croirez et vous pourrez l'aimer encore. [*Elle les regarde.*] Votre amour coûte cher.

VOINOV, *allant vers elle.* Non, Dora. Nous n'avons jamais douté de lui.

DORA, *marchant de long en large.* Oui... Peut-être... Pardonnez-moi. Mais qu'importe, après tout! Nous allons savoir, cette nuit... Ah! pauvre Alexis, qu'es-tu venu faire ici?

VOINOV. Le remplacer. Je pleurais, j'étais fier en lisant son discours au procès. Quand j'ai lu : « La mort sera ma suprême protestation contre un monde de larmes et de sang... » je me suis mis à trembler.

DORA.   Un monde de larmes et de sang... il a dit cela, c'est vrai.

VOINOV.   Il l'a dit...   Ah, Dora, quel courage!   Et, à la fin, son grand cri : « Si je me suis trouvé à la hauteur de la protestation humaine contre la violence, que la mort couronne mon œuvre par la pureté de l'idée. »   J'ai décidé alors de venir.

DORA, *se cachant la tête dans les mains*.   Il voulait la pureté, en effet.   Mais quel affreux couronnement!

VOINOV.   Ne pleure pas, Dora.   Il a demandé que personne ne pleure sa mort.   Oh, je le comprends si bien maintenant.   Je ne peux pas douter de lui.   J'ai souffert parce que j'ai été lâche.   Et puis, j'ai lancé la bombe à Tiflis. Maintenant, je ne suis pas différent de Yanek.   Quand j'ai appris sa condamnation, je n'ai eu qu'une idée : prendre sa place puisque je n'avais pu être à ses côtés.

DORA.   Qui peut prendre sa place ce soir!   Il sera seul, Alexis.

VOINOV.   Nous devons le soutenir de notre fierté, comme il nous soutient de son exemple.   Ne pleure pas.

DORA.   Regarde.   Mes yeux sont secs.   Mais, fière, oh, non, plus jamais je ne pourrai être fière!

STEPAN.   Dora, ne me juge pas mal.   Je souhaite que Yanek vive.   Nous avons besoin d'hommes comme lui.

DORA.   Lui ne le souhaite pas.   Et nous devons désirer qu'il meure.

ANNENKOV.   Tu es folle.

DORA.   Nous devons le désirer.   Je connais son cœur. C'est ainsi qu'il sera pacifié.   Oh oui, qu'il meure!   [*Plus bas.*]   Mais qu'il meure vite.

STEPAN. Je pars, Boria. Viens, Alexis. Orlov nous attend.

ANNENKOV.   Oui, et ne tardez pas à revenir.

Stepan et Voinov vont vers la porte.   Stepan regarde du côté de Dora.

STEPAN.   Nous allons savoir.   Veille sur elle.

Dora est à la fenêtre.   Annenkov la regarde.

DORA.   La mort!   La potence!   La mort encore!   Ah! Boria!

ANNENKOV.   Oui, petite sœur.   Mais il n'y a pas d'autre solution.

DORA.   Ne dis pas cela.   Si la seule solution est la mort, nous ne sommes pas sur la bonne voie.   La bonne voie est celle qui mène à la vie, au soleil.   On ne peut avoir froid sans cesse…

ANNENKOV.   Celle-là mène aussi à la vie.   A la vie des autres.   La Russie vivra, nos petits enfants vivront.   Souviens-toi de ce que disait Yanek : « La Russie sera belle ».

DORA.   Les autres, nos petis enfants…   Oui.   Mais Yanek est en prison et la corde est froide.   Il va mourir.   Il est mort peut-être déjà pour que les autres vivent.   Ah!   Boria, et si les autres ne vivaient pas?   Et s'il mourait pour rien?

ANNENKOV.   Tais-toi.

Silence.

DORA.   Comme il fait froid.   C'est le printemps pourtant. Il y a des arbres dans la cour de la prison, je le sais.   Il doit les voir.

ANNENKOV.   Attends de savoir.   Ne tremble pas ainsi.

DORA.   J'ai si froid que j'ai l'impression d'être déjà morte. [*Un temps.*]   Tout cela nous vieillit si vite.   Plus jamais, nous ne serons des enfants, Boria.   Au premier meurtre, l'enfance s'enfuit. Je lance la bombe et en une seconde, vois-tu, toute une vie s'écoule. Oui, nous pouvons mourir désormais. Nous avons fait le tour de l'homme.

ANNENKOV. Alors nous mourrons en luttant, comme font les hommes.

DORA. Vous êtes allés trop vite. Vous n'êtes plus des hommes.

ANNENKOV. Le malheur et la misère allaient vite aussi. Il n'y a plus de place pour la patience et le mûrissement dans ce monde. La Russie est pressée.

DORA. Je sais. Nous avons pris sur nous le malheur du monde. Lui aussi, l'avait pris. Quel courage! Mais je me dis quelquefois que c'est un orgueil qui sera châtié.

ANNENKOV. C'est un orgueil que nous payons de notre vie. Personne ne peut aller plus loin. C'est un orgueil auquel nous avons droit.

DORA. Sommes-nous sûrs que personne n'ira plus loin? Parfois, quand j'écoute Stepan, j'ai peur. D'autres viendront peut-être qui s'autoriseront de nous pour tuer et qui ne paieront pas de leur vie.

ANNENKOV. Ce serait lâche, Dora.

DORA. Qui sait? C'est peut-être cela la justice. Et plus personne alors n'osera la regarder en face.

ANNENKOV. Dora!

Elle se tait.

ANNENKOV. Est-ce que tu doutes? Je ne te reconnais pas.

DORA. J'ai froid. Je pense à lui qui doit refuser de trembler pour ne paraître pas avoir peur.

ANNENKOV. N'es-tu donc plus avec nous?

DORA, *elle se jette sur lui.* Oh Boria, je suis avec vous! J'irai jusqu'au bout. Je hais la tyrannie et je sais que nous ne

G

pouvons faire autrement.   Mais c'est avec un cœur joyeux
que j'ai choisi cela et c'est d'un cœur triste que je m'y
maintiens.   Voilà   la   différence.   <u>Nous   sommes   des</u>
<u>pri</u>sonniers.   (Philosophy of Camus)

ANNENKOV.   La Russie entière est en prison.   Nous allons
faire voler ses murs en éclats.

DORA.   Donne-moi seulement la bombe à lancer et tu
verras.   J'avancerai au milieu de la fournaise et mon pas sera
pourtant égal.   C'est facile, c'est tellement plus facile de
mourir de ses contradictions que de les vivre.   As-tu aimé,
as-tu seulement aimé, Boria ?

ANNENKOV.   J'ai aimé, mais il y a si longtemps que je ne
m'en souviens plus.

DORA.   Combien de temps ?

ANNENKOV.   Quatre ans.

DORA.   Il y en a combien que tu diriges l'Organisation ?

ANNENKOV.   Quatre ans.   [*Un temps.*]   Maintenant c'est
l'Organisation que j'aime.

DORA, *marchant vers la fenêtre.*   Aimer, oui, mais être
aimée !...   Non, il faut marcher.   On voudrait s'arrêter.
Marche !   Marche !   On voudrait tendre les bras et se laisser
aller.   Mais la sale injustice colle à nous comme de la glu.
Marche !   Nous voilà condamnés à être plus grands que
nous-mêmes.   Les êtres, les visages, voilà ce qu'on voudrait
aimer.   L'amour plutôt que la justice !   Non, il faut marcher.
Marche, Dora !   Marche, Yanek !   [*Elle pleure.*]   Mais pour
lui, le but approche.

ANNENKOV, *la prenant dans ses bras.*   Il sera gracié.

DORA, *le regardant.*   Tu sais bien que non.   Tu sais bien
qu'il ne le faut pas.

                                        Il détourne les yeux.

DORA.   Il sort peut-être déjà dans la cour.   Tout ce monde soudain silencieux, dès qu'il apparaît.   Pourvu qu'il n'ait pas froid.   Boria, sais-tu comme l'on pend?

ANNENKOV.   Au bout d'une corde.   Assez, Dora!

DORA, *aveuglément.*   Le bourreau saute sur les épaules.   Le cou craque.   N'est-ce pas terrible?

ANNENKOV.   Oui.   Dans un sens.   Dans un autre sens, c'est le bonheur.

DORA.   Le bonheur?

ANNENKOV.   Sentir la main d'un homme avant de mourir.

Dora se jette dans un fauteuil.   Silence.

ANNENKOV.   Dora, il faudra partir ensuite.   Nous nous reposerons un peu.

DORA, *égarée.*   Partir?   Avec qui?

ANNENKOV.   Avec moi, Dora.

DORA, *elle le regarde.*   Partir!   [*Elle se détourne vers la fenêtre.*]   Voici l'aube.   Yanek est déjà mort, j'en suis sûre.

ANNENKOV.   Je suis ton frère.

DORA.   Oui, tu es mon frère, et vous êtes tous mes frères que j'aime.   [*On entend la pluie.   Le jour se lève.   Dora parle à voix basse.*]   Mais quel affreux goût a parfois la fraternité!

On frappe.   Entrent Voinov et Stepan.   Tous restent immobiles, Dora chancelle mais se reprend dans un effort visible.

STEPAN, *à voix basse.*   Yanek n'a pas trahi.

ANNENKOV.   Orlov a pu voir?

STEPAN.   Oui.

DORA, *s'avançant fermement.*   Assieds-toi.   Raconte.

STEPAN.   A quoi bon?

DORA.   Raconte tout.   J'ai le droit de savoir.   J'exige que tu racontes.   Dans le détail.

STEPAN. Je ne saurai pas. Et puis, maintenant, il faut partir.

DORA. Non, tu parleras. Quand l'a-t-on prévenu?

STEPAN. A dix heures du soir.

DORA. Quand l'a-t-on pendu?

STEPAN. A deux heures du matin.

DORA. Et pendant quatre heures, il a attendu?

STEPAN. Oui, sans un mot. Et puis tout s'est précipité. Maintenant, c'est fini.

DORA. Quatre heures sans parler? Attends un peu. Comment était-il habillé? Avait-il sa pelisse?

STEPAN. Non. Il était tout en noir, sans pardessus. Et il avait un feutre noir.

DORA. Quel temps faisait-il?

STEPAN. La nuit noire. La neige était sale. Et puis la pluie l'a changée en une boue gluante.

DORA. Il tremblait?

STEPAN. Non.

DORA. Orlov a-t-il rencontré son regard?

STEPAN. Non.

DORA. Que regardait-il?

STEPAN. Tout le monde, dit Orlov, sans rien voir.

DORA. Après, après?

STEPAN. Laisse, Dora.

DORA. Non, je veux savoir. Sa mort du moins est à moi.

STEPAN. On lui a lu le jugement.

DORA. Que faisait-il pendant ce temps-là?

STEPAN. Rien. Une fois seulement, il a secoué sa jambe pour enlever un peu de boue qui tachait sa chaussure.

DORA, *la tête dans les mains.* Un peu de boue!

ANNENKOV, *brusquement.* Comment sais-tu cela?

Stepan se tait.

ANNENKOV. Tu as tout demandé à Orlov? Pourquoi?

STEPAN, *détournant les yeux.* Il y avait quelque chose entre Yanek et moi.

ANNENKOV. Quoi donc?

STEPAN. Je l'enviais.

DORA. Après, Stepan, après?

STEPAN. Le père Florenski est venu lui présenter le crucifix. Il a refusé de l'embrasser. Et il a déclaré : « Je vous ai déjà dit que j'en ai fini avec la vie et que je suis en règle avec la mort ».

DORA. Comment était sa voix?

STEPAN. La même exactement. Moins la fièvre et l'impatience que vous lui connaissez.

DORA. Avait-il l'air heureux?

ANNENKOV. Tu es folle?

DORA. Oui, oui, j'en suis sûre, il avait l'air heureux. Car ce serait trop injuste qu'ayant refusé d'être heureux dans la vie pour mieux se préparer au sacrifice, il n'ait pas reçu le bonheur en même temps que la mort. Il était heureux et il a marché calmement à la potence, n'est-ce pas?

STEPAN. Il a marché. On chantait sur le fleuve en contre-bas, avec un accordéon. Des chiens ont aboyé à ce moment.

DORA. C'est alors qu'il est monté...

STEPAN. Il est monté. Il s'est enfoncé dans la nuit. On a vu vaguement le linceul dont le bourreau l'a recouvert tout entier.

DORA. Et puis, et puis...

STEPAN. Des bruits sourds.

DORA.   Des bruits sourds.   Yanek!   Et ensuite...

Stepan se tait.

DORA, *avec violence*.   Ensuite, te dis-je.   [*Stepan se tait.*]
Parle, Alexis.   Ensuite?

VOINOV.   Un bruit terrible.

DORA.   Aah.   [*Elle se jette contre le mur.*]

Stepan détourne la tête.   Annenkov, sans une expression, pleure.
Dora se retourne, elle les regarde, adossée au mur.

DORA, *d'une voix changée, égarée*.   Ne pleurez pas.   Non, non,
ne pleurez pas!   Vous voyez bien que c'est le jour de la
justification.   Quelque chose s'élève à cette heure qui est
notre témoignage à nous autres révoltés : Yanek n'est plus
un meurtrier.   Un bruit terrible!   Il a suffi d'un bruit terrible
et le voilà retourné à la joie de l'enfance.   Vous souvenez-
vous de son rire?   Il riait sans raison parfois.   Comme il était
jeune!   Il doit rire maintenant.   Il doit rire, la face contre la
terre!

Elle va vers Annenkov.

DORA.   Boria, tu es mon frère?   Tu as dit que tu
m'aiderais?

ANNENKOV.   Oui.

DORA.   Alors, fais cela pour moi.   Donne-moi la bombe.

Annenkov la regarde.

DORA.   Oui, la prochaine fois.   Je veux la lancer.   Je veux
être la première à la lancer.

ANNENKOV.   Tu sais bien que nous ne voulons pas de
femmes au premier rang.

DORA, *dans un cri*.   Suis-je une femme, maintenant?

Ils la regardent.   Silence.

VOINOV, *doucement*.   Accepte, Boria.

STEPAN.   Oui, accepte.

ANNENKOV. C'était ton tour, Stepan.

STEPAN, *regardant Dora*. Accepte. Elle me ressemble, maintenant. (humaine)

DORA. Tu me la donneras, n'est-ce pas? Je la lancerai. Et plus tard, dans une nuit froide…

ANNENKOV. Oui, Dora.

DORA, *elle pleure*. Yanek! Une nuit froide, et la même corde! Tout sera plus facile maintenant.

Rideau

NOTES

The numbers refer to pages. Words and phrases given in exact translation in *Harrap's Shorter French and English Dictionary* are not listed here.

36. **Personnages:** these characters are all very close to the real persons involved in the terrorist plot of February 1905. Camus has stated that he kept the same name for **Kaliayev** out of respect and admiration for a man of feeling who was driven to the utmost limits by the spectacle of outraged humanity's sufferings. **Dora** has the same Christian name as the student girl terrorist of the group, Dora Brillant. **Annenkov** is a close portrait of Boris Savinkov the second in command of the Action Group of the Socialist Revolutionary Party (whose leader proper was Fono Azev, later revealed to be an *agent provocateur* in the pay of the Czarist secret service, the Okhrana). **Voinov** is to a large extent modelled on Voinarovski, another of the original group. **Stepan** has no counterpart by name in the group but his ideas and behaviour are a compound of several well-known terrorists of the period; it has been suggested that much of his point of view is representative of Bakunin.

37. **Nous t'attendions:** the Second Person form used affectionately between comrades in a 'cause'.

38. **La liberté est un bagne aussi longtemps qu'un seul homme est asservi sur la terre. J'étais libre et je ne cessais de penser à la Russie et à ses esclaves:** this is a passionate statement of faith which should bring the audience (or reader) up with a jolt. It establishes Stepan's intransigent character at the outset.

    le matériel nécessaire: Dora is the scientist of the group, as was also Dora Brillant, in the real assassination plot in 1905. She made the bombs.

39. **Ce n'est pas un nom pour un terroriste:** Stepan's remark here is very serious, and shows his immediate mistrust of Kaliayev.
La bombe seule est révolutionnaire: Stepan is insisting on his viewpoint. He is obstinate enough not to let anything pass without registering his view. This builds the atmosphere of tension the author needs before he brings his main character on the stage.

41. **Ils t'impressionnent?:** 'Do they worry you?'
Deux coups, puis un seul: the effect of this variation of the signal is very powerful on stage. It provides a feeling of expectation for Kaliayev's entrance.

42. **ta touloupe:** this is a Russian word meaning a sheepskin coat. It is not uncommonly used in modern French for a heavy coat.

43. **Aux lieux tranquilles où mon cœur te souhaitait...**
Je respirais un éternel été...:
These we must presume to be lines from one of Kaliayev's own poems, which Dora naturally had read.

44. **se jeter sous les pieds des chevaux:** a sacrificial suicide, in fact, which will kill the Grand Duke at the same time. This is one of the main ideas of the play and is at the centre of Kaliayev's attitude to terrorism. The author develops it at length in the scene between Dora and Kaliayev at the end of this act. It also supplies the idea behind the final curtain of the play. The real Kaliayev did in fact offer to do this when the terrorists were preparing the assassination of the Cabinet Minister, Plehve.
L'organisation a besoin de toi: the organisation was a group of dedicated terrorists among the pre-Revolution Russian Communists. It was called the Action Group.

45. **parce que j'aime la vie:** much of Camus's work up to this time had been to express his love of life and the living. It is in this point that he has centred his main argument against what Stepan represents—and Stepan's next words here give the clue to the meaning of the play. Kaliayev further emphasises the point with Dora in the scene that immediately follows.

48. **Un seul l'avait:** the real Kaliayev was a Christian. In this faith he was unlike most of his comrades in the revolutionary move-

ment, whose opinion was to be expressed in Lenin's phrase about religion of all kinds: "the opium of the people."

51. **la haine me viendra au bon moment et m'aveuglera:** it may be interesting to remember that the assassin Villain, who killed Jean-Jaurès, did it simply because he was sure he would prevent war.   He had an impulse of momentary doubt, very similar to Kaliayev's, about the justice of his act of assassination.   At his trial he said that he was only two yards away from Jean-Jaurès the day before the actual assassination, but he suddenly saw such kindness and humanity in his victim's eyes that he "could not pull the trigger."   By the following day he had dismissed this scruple.

54. **cet affreux silence qui s'installe, parfois, à la place même du cri:** *du cri de plaisir* is what Dora means.

57. **Oh, non! Je n'ai pas pu:** this is the main issue in the play. Already Camus had covered the same ground in a different way— Christian Paneloux, in *La Peste*, gives a long description of the death of a child and explains that this is something he cannot reconcile with the idea of a just God.

60. **jouer sur deux tableaux:** 'to play a double game.'

62. **je la connais peut-être:** 'I should know what that means, I should think!'
    Il faut être bien sûr que ce jour arrive pour nier tout ce qui fait qu'un homme consente à vivre: Camus totally mistrusts the Communist justification of all tactics in the name of a social justice that is to come in some indefinite future.   He made this same point in one of his leading articles in *Combat*: "Désespérant de la justice immédiate, les marxistes qui se disent orthodoxes ont choisi de dominer le monde au nom d'une justice future.   D'une certaine manière, ils ne sont plus sur cette terre, malgré les apparences.   Ils sont dans la logique" (*Actuelles* II, p. 196).
    Et, pour une cité lointaine, dont je ne suis pas sûr, je n'irai pas frapper le visage de mes frères.   Camus examines this at length in *L'Homme révolté*, where he discusses the problem of mass murder for political reasons.

63. **Et si la grande-duchesse accompagne le grand-duc?:** Voinarovski (see Note on *Personnages*), when the real terrorists

were preparing the assassination of the Minister for Home Affairs, Dubassov, declared that if Dubassov's wife happened to be with her husband at the time he personally would refrain from throwing the bomb.   This was a refusal to commit unnecessary murder, basically the same as Kaliayev's but even more rigid.

65. **Je puis aller aux nouvelles:** information passed on by arrangement with one of their agents.

76. **… il n'y a pas de bonheur dans la haine:** this insistence on 'happiness' is the key to Camus's argument.   His theory of 'revolt' is based entirely on the conviction that the one reliable impulse in mankind is his inner drive for happiness.   It is upon this belief that Camus builds all his values.   But 'happiness' is not an acceptable Christian desire by itself, when not accompanied by a desire for salvation—and it was on these grounds that the Catholic critics attacked *L'Homme révolté*.

78. **barine:** the Russian word for 'gentleman.'

83. **Et ça ne l'a pas arrangé:** 'And it made a nice mess of him.'

86. **Imaginez Dieu sans les prisons.   Quelle solitude!:** this has no special meaning.   It merely carries Skouratov's irony to the extreme.

Entre la grande-duchesse: this visit to Kaliayev in prison by the widow of the Grand Duke really took place.   It is a very attractive encounter for a dramatist to imagine.

89. **… à l'endroit même du malheur:** very difficult to render into satisfactory English.   The meaning is that the misfortune that concerns them both—the Duke's death—may provide their common reason for prayer.